مياه متصحّرة

رقم الإيداع لدى
دائرة المكتبة الوطنية
2015/5/ 2370

813.9
الدين، حازم كمال
مياه متصحرة – حازم كمال الدين – عمان: دار فضاءات، 2015
الواصفات: /القصص العربية//العصر الحديث/

* أعدت دائرة المكتبة الوطنية بيانات الفهرسة والتصنيف الأولية.
* يتحمل المؤلف المسؤولية القانونية عن محتوى مصنفه ولا يعبّر هذا
المصنف عن رأي دائرة المكتبة الوطنية أو اي جهة حكومية أخرى.

ISBN: 978-9957-30-728-8

فضاءات
للنشر والتوزيع

الطبعة الأولى: 2015
جميع الحقوق محفوظة بموجب اتفاق
مياه متصحرة – حازم كمال الدين -- بلجيكا
دار فضاءات للنشر والتوزيع -- المركز الرئيسي
عمان – شارع الملك حسين- مقابل سينما زهران
تلفاكس: 4650885 (6 - 962+) هاتف جوال: 911431 -777 (962+)
ص.ب 20586 عمان 11118 الأردن
E.mail: Dar_fadaat@yahoo.com
Website: http://www.darfadaat.com

تصميم الغلاف: فضاءات للنشر والتوزيع
الصف الضوئي والإخراج الداخلي والطباعة: فضاءات للنشر والتوزيع

إن الآراء الواردة في هذا الكتاب لاتعبر بالضرورة عن رأي دار فضاءات للنشر والتوزيع.

حازم كمال الدين

مياه متصحّرة

رواية

فضاءات
للنشر والتوزيع

مفتتح ..

روحي تسعى للانفكاك عن جسدي، وأنا أمسك بتلابيبها.

أحلّق فوق نفسي تاركا أشلائي حيث يدور كلّ شيء بفوضى عارمة.

هرجٌ وحرائقُ وخضارٌ تتناثر ولحوم قصّابين تختلط بأشلاء قتلى ولصوصٌ يسرقون جرحى ورجال شرطة يتحسّبون من الاقتراب وسيارات إسعاف تدور حول نفسها وتدور.

أمرٌ عصيّ على التصديق!

كالسديم أتكثّف في حيّز مبهم.

أطوف أو أطفو في الحيّز الغامض.

لا سبيل لتحديد طبيعة ما يحدث.

شيءٌ ما يستحوذ عليّ ويلفّني على نفسي كما لو أنّني رداءٌ في غسّالة كهربائية.

ثمة ما ينفرج بغتةً فيكشف لي طبيعة الحيّز الغامض.

إنّه نفق ذو امتداد لا أرى نهاية له.

أسمع تموّجات صوتي تنجذب إليّ، تلتفّ عليّ، تكبّلني، تحيلني ماكنة هاذية.

يردّد صوتي داخل النفق بنبرة آلية وكأنّي لستُ الذي يحكي.

يتشرّبني مزيج من هسهسة ريحٍ وصرير صلصالٍ وزفير نارٍ وموج بحرٍ. خليطٌ توحّده ذبذبات خابية الرنين.

أرى نفسي في أتون النفق يسحلني صوتي الذي يردّد:

- السفّاح.. أنا السفّاح.

أنا مرميّ في تجويف كامن في النفق.

الصديق الأبدي

أبوه بمقام حفيدي رغم أنّه من جيل أبي.

ذلك ليس غريبا في العراق، فزواجات العهد القديم لم تكن تعتمد إلاّ المقامات وبعض الأعراف.

ما أنْ طلب مقام عالٍ فتاة للزواج، على سنّة الله ورسوله، حتّى أُحضرت (محظية). وما أنْ حاضت صبيّة حتّى وأدت أسرتها (عارها) في مخدع ما، كتلك التي حطّتْ في سرير شيخ سبعيني عند بلوغها الـ 11 سنة وأنجبتْ بعد تسعة أشهر صبيّا أخا لكهل خمسيني رُزق بأوّل أحفاده يوم مولد أخيه الأصغر.

جدٌّ وليدٌ وأحفاده أقرانٌ له. هكذا شاعتْ الأعراف!

ابن حفيدي الذي كان قريني وصديقي الأعزّ قُتل في ظروف لم يؤكدها أيّ مصدر محايد. وقد قيل إنّه مات في قصف عشوائي أمريكي على سوق شعبي وقيل إنّه أُختطفَ وذُبح وقيل غير ذلك.

كان سينمائيا معروفا، ولكن في بلاد تقتات على الموت لن يستذكره النقاد ولا الصحافيون.

قبل موته بسنين، عام 2004، زارني في منتدى المسرح الواقع في شارع الرشيد بقلب بغداد وكنتُ مشغولا بالتمارين على مسرحية (ساعات الصفر):

- (جديدو)!

قال لي.

- **والدي يهديك التحيات ويريد أن يأتي لزيارتك.. لقد بلغ الثمانين ويرغب في زيارة أجداده قبل أن يقضي الله أمرا كان موعودا.**

بيد أنّه مات قبل والده.

لقد كان صديقي منذ نعومة الأظافر، رغم أنّه حافظ على تقاليد العائلة وظلّ يناديني (جديدو) للتصغير في كافة المناسبات، حتّى تلك التي لم تكن تسمح بذلك من مثل عراكنا وانهياله عليّ ضربا، أو اندلاع الشتائم الرخيصة بيننا لانتصاب قضيبه الصغير عند رؤية جدّة أبيه، أختي، التي تصغره بعام واحد وتطوّر الشتائم إلى خصامٍ عنيفٍ ينتهي غالبا بالتعب وإخراج مجلة بلاي بوي من الأماكن الخفية وممارسة العادة السريّة للخلاص من (معاصي القضيب).

النفق الحلزوني
شجرة الأنساب

أراني ثانية في النفق الحلزوني.

أنا قادر على الانتقال إلى كل مكان وأنا هنا.

إذا فكرتُ بشيء تجسّد أمامي للتو واللحظة.

إذا تذكرت شيئاً من الماضي وجدتُ نفسي هناك.

لا مسافات ولا عوائق تصدّني عن الانتقال ولا أزمان.

أسمع صوتي الآلي يردّد:

- السفّاح.. أنا السفّاح!

أنا لست سفّاحا، أردّ على صوتي بغضب!

لقبي العائلي هو السفّاح.

سأرى نفسي في الماضي وجها لوجه أمام قصة جدّنا الأكبر (حمد الحمود).

كل شيء يتجسّد أمامي.

سأرى ديكا صغيرا يضيع طريقه فيجد نفسه في بساتين جدّنا الأكبر.

ولأنّ الديك جائعٌ سيلتقط شقفة تمر من عذق نخلة واطئة ويقلّبها بمنقاره.

ما أن يرى جدّنا الأكبر شقفة التمر بين شقّي منقاره حتّى يطير صوابه.

ناسيا أنّ الديكة لا تأكل التمور سيزعق:

- **أعدْ شقفة التمر!**

وسيندفع كالمجنون صوبه لانتزاع الشقفة.

من شدة المفاجئة سيبتلع الديك الشقفة ويرفرف بجناحيه ويهرب، وسيتشيط جدّي ويجري خلفه:

- **سأمسك بك! سأقبض عليك! قف! قف أيّها الديك! أيها اللص!**

سيزعق ويحاول أن يلحق به، لكنّ الديك الذي كان مقاتلا هراتيا معروفا في مباريات ذلك الزمن، سيهرب برشاقة من وجه جدّنا الأكبر من تينة إلى عريشة عنب إلى ساقية إلى طريق قروي.

أمرٌ سيشعلُ غضب جدّنا ويحيل الهروب إلى مطاردة جنونية طرفاها هو وصوته الغليظ من جهة والديك المتمرّس بعمليات الكرّ والفرّ من جهة أخرى.

هكذا سيصلان ساحة القرية.

سيهرع أهالي القرية البسطاء ويتجمعون حولهما ويطلبون من جدّنا أن يثوب إلى رشده، وأن يكفّ عن سلوكه الغريب، أن يتوقف عن ملاحقة ديك القرية وفارسها في نزالات الديكة مع القرى المجاورة!

بيد أنّه سيأبى ويستكبر، ويظلّ يزأر:

- **يجب أن يعيد شقفة التمر وإلاّ.. سأقطع رقبته! سأقتلته. سأذبحه!**

أمّا الديك الهراتي المدرّب على فنون القتال فإنّه سيرى الناس وقد تراصّت في حلقة حوله وحول جدّي وسيسمع اندلاع الهرج ويظنّ أنّ تلك طقوس مباريات الديكة الشهيرة، فيتوسط الحلقة من جهة وجدّي من جهة أخرى، ويمسي الاثنان يدوران ويزفران.

جدّي الأكبر ينفث الزفير الساخن المبخّر من منخريه كثور مصارعة يستعد للهجوم، والديك الهراتي يصيح كأنّه يلقي خطبة سياسية أمام حشد من الأنصار.

سيقفز الديك فيصطدم جناحاه بوجه فلاح يؤُخذ على حين غرّة فيدفعه عنه ليجد نفسه طائرا على ارتفاع منخفض وكأنّه في غارة حربية صوب الجانب الآخر من الحلقة.

لن يتمكن جدّي من الإمساك به حين سيقفز ثانية كحامي هدف في مباراة كرة قدم ويسقط بين أرجل الفلاحين، ذلك أنّ ديك القرية سينحشر بين ساقي فلاح يكرّر ما فعله زميله الذي سبقه.

في لحظة مناورة تكتيكية معروفة للديكة سيلتفت الديك إلى اليمين موحيا لجدّي بأنّه يهرب، وسيفوته أنّ المعركة إنّما هي مع رجل وليست مع ديك. وفي لحظة الهجوم المباغت على جدّي سيمسك الجد برقبته النحيلة ويقعقع:

- أخرجْ الشقفة من شقّك وإلاّ سأذبحك! سأذبحك! والله العظيم أذبحك!

سيتوسل أحد الفلاحين بجدّنا الأكبر أن يترك الديك الهراتي بطل المباريات البابلية الشهيرة. لكنّ الجدّ المسكون بشيطان لن يأبه بتوسلاته.

سيفرفح الديك من يأس ويترافس من حلاوة روحه.

سيخبط بجناحيه ويحشرج بيأس، فيظنّ جدّي أنّ تلك مناورة هجومية جديدة تجلعه يشدّد قبضته على رقبة الديك النحيفة:

- أخرج الشقفة من شقّك وإلا ذبحتك. سأذبحك. والله العظيم أذبحك. بشرفي أذبحك. لا تريد؟ ستخرجها يعني ستخرجها! من فمك أو من إستك. ستخرجها يعني ستخرجها!

وبعد برهة من الزمن سيذبل الديك على مرأى من أهل القرية المصابين بالذهول من ارتكاب جريمة قتل في العلن.

لن يأبه جدّي أمام ذلك الذهول.

بالعكس.

سيضرب طوق العمى على عينيه ويدير معصمه دورة كاملة تفصل الرأس عن الجسد فيسقط بدن الديك مترافسا على الأرض حتّى يسلم الروح بعد حين.

هناك.. وسط ساحة القرية سيقف جدّي الأكبر ملطّخ اليدين بالدم وفي راحة يده رأس مقطوع.

ما أن يدرك أهل القرية معنى الرأس المقطوع فوق راحة الكفّ حتى ينهالوا بصبّ اللعنات على القاتل.

وبناءً على أعراف ذلك الزمان، سيعلنون أنّ رقابنا تحمل خطيئة دم.

ولأنّ أيادينا ملطّخة بدم الديك سيطلقون على عائلتنا لقب السفاحين الذين لا يتورعون عن إراقة الدماء.

من هناك سيظهر لقب (السفّاح) كنية للأسرة.

أنا حازم كمال الدين السفّاح.

نعم.

13

أنا لا أكذب!

أنا حازم كمال الدين السفّاح.

أنا الحفيد الأخير لذلك الجدّ والابن الوحيد لأبي عالم الآثار سعدون بن عبد الحميد سليل فحل النخيل والد البغل من جدّ جدّه عبد الهادي المتزوج من عشرين امرأة وأربعة أشجار حمضية وسبعة أسماك نهرية، وهو ابن عم جد حفيد أخت أبي جدّي من ناحية الأم عبد الجبار المقترن من حفيدة عاصم الحمود البالغة من العمر 11 عاماً!!

هذا ليس بالأمر الغريب في العوائل العريقة.

أم تراني أهذي؟

وماذا حدث لبقية العائلة؟

لا أدري!

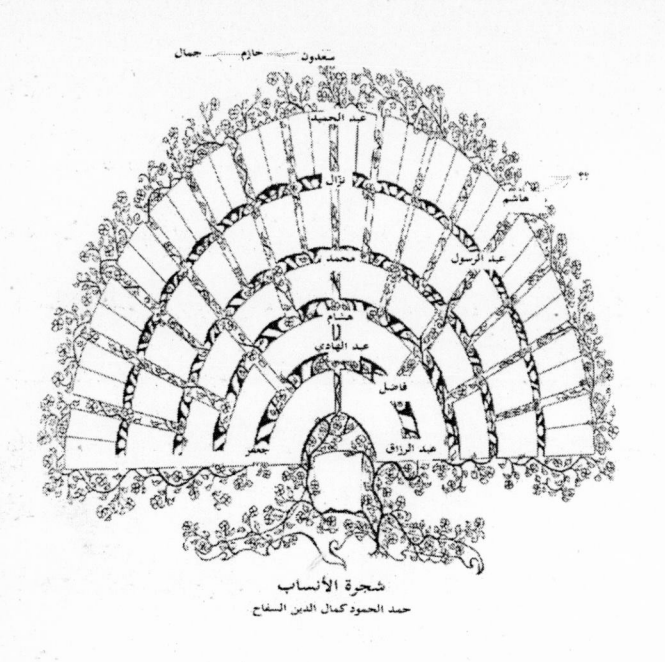

شجرة الأنساب
حمد الحمود كمال الدين السفاح

إنّني لستُ سوى أشلاء سينمائي مترامية ستعلوها كثبان النسيان ولن يقول أحد إنّي كنتُ من أشجع من وقف بوجه الطاغية. ذلك أنّي حين جابهته لم أكن منتميا لحزب يأخذ على عاتقه، ولمصلحته، تسطير مأثرتي!

هل تراني أكذب أم أستبق الأحداث؟ هل أعاني من عقدة الرقيب الذي زيّف فيلمي أيام الطاغية وعاد فاحتل موقع الرقيب مجددا في الزمن الأمريكي؟

هل أعاني من الإحساس بالعار؟

اسم فيلمي الذي زوّروه (مياه متصحّرة).

15

أنا حازم كمال الدين.

هل قتلتُ نتيجة ما قيل إنّه قصف عشوائي أمريكي على سوق خضار شعبي في بغداد، أم ما قيل إنّه اختطاف مجموعة قطعتْ رأسي؟

لا أعرف الحقيقة بالضبط.

فمنذ أن رأيتُ السماء يحمرّ لونها في منتصف النهار وأنا أحلّق فوق سوق الخضار الشعبي.. أقصد منذ أن حزّ عنقي سكينٌ والتمع دمي على صفحته كما ينتشر لون فوق قماش لوحة زيتية وأنا أطوف في سماء مقفلة رانيا إلى أشلائي.

أنا مرتبك!

منذ أن حدث ما حدث وأنا أراقب روحي عائمة خارج بدني بين رجال إسعاف يحاولون الوصول لإنقاذ ما يمكن إنقاذه من القصف، ثم أراقب نفسي ترتقي سماء غرفة الذبح يمتصها النفق الحلزوني المظلم فتنزلق فيه بسرعة لا توصف.

روحي تتقلّب في أرجاء النفق وتصطدم بتجاويف تمسك بتلابيبها فتحكم القبضة عليها ثم تلفظها وتعود فتبتلعها وتلفظها ثم تحكم القبضة عليها ثم تطلق سراحها وتسجنها وتطلق سراحها، وفي كلّ تجويف تجد

روحي نفسها إزاء حكاية تعود للماضي أو للحاضر أو للمستقبل، وكلما انتزعها النفق الحلزوني من تجويف يحلّ الدجى وزفير الرياح.

أظنّ أنّي أغادر الحياة.

ثمة تجويف من العدم يغيّبني في أحشائه ثم يضعني في حكاية تحدث لي في المستقبل رغم أنّني أعرف أنّها حدثت في الماضي!

في أحد تجاويف الحيّز الحلزوني
محكوم بالعزلة

لن يفلح أبي في دفني. لا في النجف، مثوى أجداده، ولا في بابل التي ولد فيها أقسم أنّه لن يدخلها :

- إلى يوم الدين!

وبسبب استعصاء تحقيق أمنيته سأنقسم إلى أجزاء تشبه الأشلاء التي لملموها من سوق الخضار.. أقصد من مزبلة شارع المغرب المحاذية لمنطقة الأعظمية .

الأجزاء التي سأنقسم إليها ستتجسّد بطريقة مادية وبطريقة رمزية. بل وبطريقة مجازيّة أو خياليّة!

سيخضع الجزء المجازي لطقس عزاء الفاتحة في مدينة بابل، في حي الجامعين، في زقاق (عگد گمره)، في بيت جدّي الثاني الذي كان يصغرني

بكثير! وستكون مسالك الجزء الخيالي تصنيفات أبي الآثارية التي تموضعني في حكايا العصور القديمة.

أما الأجزاء المادية فستجد نفسها إزاء طقسين أحدهما في مدينة النجف والآخر في منطقة الأعظمية. في النجف شعائر دفن شيعيّة تنطلق من دكان صانع التوابيت وتمرّ بدكة تغسيل الموتى فصلاة الجامع فمقبرة وادي السلام، وفي الأعظمية طقوس دفن سنيّة في المدينة التي قضيتُ فيها معظم حياتي .

بالمقارنة مع مقبرة النجف التي تفوق حجم مدينة مأهولة ستكون مقبرة الأعظميّة صغيرة منزوية في باحة مسجد تلمّ قبورا قليلة، يتولى فيها عدد من الأطفال تنظيف الشواهد بشكل دوري .

أبو عمر، الذي شيّد المقبرة قبل عقد وظنّ أنّه مالك لها، وما زال يعامل القبور كصديق حميم، سيقول :

- الموتى محكومون بالعزلة.

وفي كل جمعة، سيتجمع في المقبرة بعض سكان الأعظميّة ليرووا وقائع الموتى. وقائع تتطوّر أسبوعا بعد آخر. وعبر تراكم أيام الجمعة يتطوّر القص الشفاهي وتقترب الوقائع من صيغ الأساطير. فتلك هي عادة أهل البلاد. يكرهون الإنسان حتّى مماته. فإذا ما غادر أرض الفناء استعادته ذاكرتهم في

هيئة أسطورة تهدف التفوق على واقع أيامهم والسمو على خرائبهم التي لا يمرّ عليها الإعمار مهما تبدّلتْ الأقدار.

أسطورةٌ تولد ويشتدّ عودها وتتوهج ويتم التغنّي بها بينما رفاة الميت موضوع الأسطورة تغوص أعمق فأعمق في التفسّخ والتفتّت والموت.

سيقول أبو عمر إنّ لكل ميت قصته الفريدة، مشيرا إلى شاهدة قبري:

– **هذا مثلا!**

وسيجوس بيده شاهدة القبر:

– **رجل من بابل وافته المنية على إثر معركة ضروس مع عقرب، طوله 12 متراً وعرضه ثلاثة أمتار.**

وبعد صمت وقور سيضيف:

– عندما نبشنا قبره فجرا الكي نقصّ قطعة من الكفن ونأخذ جزءا من أشلائه ونسلّمها لجدّه الثالث من ناحية أمّه الشيخ هجول التكريتي الذي قرّر إيصالها بنفسه إلى النجف، وجدنا وجه المرحوم حازم كمال الدين مازال حنطيّا والدماء تسري دافئة في عروقه، وكادت آذاننا أن تسمع صوته ينادينا لولا أن غطّت على ذلك صرخات جدّه المفجوعة وهو يرى وجه حفيده نورانيا مبتسما وكأنّ الملائكة تزفّه إلى النعيم.

ثم سيختم أبو عمر الأسطورة بأنّه استلم من جدّي الثالث من ناحية أمّي الشيخ هجول التكريتي مبلغ 800 دولارٍ مقابل تسليمه لكفّي اليسرى التي تنقصها السبابة وقطعة من كفني التي جزّها بمقص مطهّر يجعلها صالحة للذهاب إلى النجف والاستقرار في (مقبرة وادي السلام) مثوىً أخيرا لي.

في النفق الحلزوني..

أنقذفُ فجأة خارج التجويف الذي يخبرني عن الماضي بصيغة المستقبل فأجدني في النفق.

في أتون سرعته العصية على الإدراك وفي أوار التراطم في أرجائه أتكربح في زاوية ما.

ينبني حولي جدارٌ سديميٌ معفّرٌ بالبثور.

ذكريات تعشعش في تفاصيل البثور.

ذكريات تمتصّني وكأنّها اسفنجة وكأنّني ماء.

أشعر ثانية أنّ كل ما سيجري هنا يتموضع في المستقبل.. بما في ذلك أحداث الماضي!

لماذا؟

في تجويف ثان داخل النفق..

جماعة ناجين السينمائية!

سأرى أمي وأبي في الزاوية المسوّرة بالجدار السديمي ذي البثور!

أراهما يخلقان معضلة اسمها تحديد مكان دفني.

أمي تدير ظهرها لأبي رغم أن الاثنين يحومان حول جثماني المسجّى في صالون بيتي. فأبي يرفض أن أدفن في مقبرة الأعظميّة (السنيّة)، بينما أمّي وأصدقائي (جماعة ناجين السينمائية) يحاولون إقناعه بأنّ ذلك المثوى هو المكان الوحيد الذي يمكن أن أوارى فيه الثرى نظرا للظرف الأمني التعيس. بيد أنّ والدي يصرّ على أن أرقد في مقبرة وادي السلام (الشيعية) في مدينة النجف إلى جانب أجداده رغم أنف الأساطير المنتشرة عن خطورة المسالك إلى عالم جنوب العراق، وبخاصة أهوال البشر العقارب و(الطنطل) الشهير الذي يسأل كل عابر سبيل عن هويته وأصله وفصله، فإنْ شمّ فيه رائحة شيعية قطع رأسه وأحال الباقي سمادا للنخيل:

- يا عم سعدون!

سيخاطب عبود العكايشي صديقي ومجايلي في مقعد الدراسة الذي ظلّ يلتقيني حتّى يوم مقتلي. وإذ يلتفتُ إليه أبي بعد لأيٍ سيقول:

- أرجو أن تفكّر بنصيحتي! فالطريق إلى النجف مهول! إنّه مثلث الموت!

ولّما يرى أنّ أبي أعطاه الأذن الطرشاء سيخاطبه مرة أخرى:

- تصوّر. لقد سلكناه مؤخرا برفقة جنازة بعد أن زوّرنا لأنفسنا بطاقات أحوال مدنية سنيّة وشيعية. صدقني يا عم!... ما أن انطلق الباص من مرآب الكرخ إلى مدينة الكاظمية حتّى أدار السائق موجة المذياع على محطة تبثّ تلاوات القرآن باعتباره حلاً تقبله كافة الطوائف المتحاربة، ومن بوابة الكاظمية حتّى نهاية مدينة الدورة وضع مساعد السائق كاسيت المقاومة الإسلامية، ومن منطقة أبو دشير إلى قضاء الحصوة هيمنتْ أغاني تمجّد صدام حسين. وفي المسافة الواقعة بين قضاء الحصوة وقضاء الاسكندرية حلّ صمت حائر أعقبته تعاليم من السائق أن نكرّر كلمة (عجل يابا) بمناسبة وبلا مناسبة. وعجل يابا كما تعرف هي المفردة التي مازال يستخدمها أزلام النظام السابق عند حواجز التفتيش. وبعد اجتيازنا منطقة (جرف الصخر) تلقينا منه تعليمات جديدة تنصحنا بالكلام بلسان

كربلائي فصيح وإبدال كلمة (لعد) البغدادية بـ (چا) الكربلائية، ومصطلح رض (رضي الله عنه) السنيّ إلى ع (عليه السلام) الشيعي لنقي أنفسنا الذبح على إحدى الطريقتين الإسلاميتين.. ومع ذلك أوقف الباص الذي نستقله ملثمون في مثلث الموت ودققوا في هوياتنا، وحينما تمعّنوا بهوية الميت اكتشفوا أنّ اسمه (عبد علي)! فأنزلوا تابوته من سقف الباص بالركلات وأعقاب البنادق، وذبحوا جثته بعد أن دحرجوها خارج التابوت وصادروا رأسها واستحوذوا على غطاء التابوت وأجبرونا أن نعيد تثبيت التابوت على سقف الباص حاسرا لكي يمرّ على بقية الحواجز والمدن عبرة لمن اعتبر.. لقد فعلوا ذلك يا عم سعدون لأنّنا أخطأنا وفاتنا أن نشتري للمرحوم (عبد علي) بطاقة أحوال مدنية مزوّرة سنيّة.

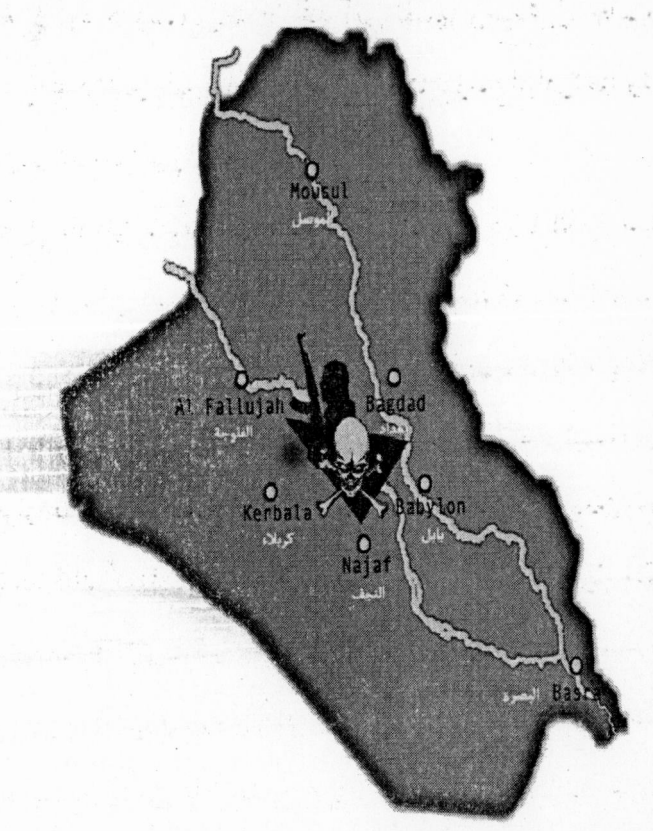

مثلّث الموت

طريق بغداد المؤدي إلى بابل والنجف

بيد أنّ مساعي عبود العكايشي لإقناع أبي الحرون لن تدفعه إلا للاعتصام بحبل بيتي غير آبهٍ بجحيم أيام الصيف اللاهب الخالي من التبريد والكهرباء التي ستعمل فعلها بي حتّى يتساقط الدود من أنفي.

وبعد أن تطغى رائحتي على كل شيء في البيت وتستحيل أشلاء جثماني المضرجة بالدود كابوسا، وبعد أن تجد أمّي نفسها وحيدة إلى جانب أبٍ عازف عن اتخاذ تدبير يليق بالمأساة ستقرر أن تنتزع زمام المبادرة منه وتشرع بنفسها في ترتيب مراسيم الوداع الأخير.

ستتصل تلفونيا بأصدقائي السينمائيين (جماعة ناجين) الذين سيأتون ويقومون بما ينبغي لتحرير البيت من أشلائي المتحلّلة. وسأراها تذهب معهم إلى المقبرة رغم أنّ الأعراف تحظر على الأنثى، كائنا من كانت، المشاركة في جنازة الذكر أو تغسيله أو الصلاة عليه أو دفنه. فالنساء، إذا ما مات عزيز عليهنّ، لا يذهبن إلى المقبرة إلا بعد عبور اليوم الأربعين بحسب المعتقدات. ذلك أنّ الميت بعد أربعين يوما يكون قد غادر الدنيا إلى ملكوت السماء ولن يتألم إذا زارت قبره امرأة.

قبل إخراجي من البيت ستفكّر (جماعة ناجين) بطريقة تنهي عناد أبي وأخرى تسمح لأمي بالالتفاف على الأعراف والمعتقدات. سيقلعون مقبض باب دورة المياه وعندما يدخله أبي سيستعصي عليه الخروج. وسيضعون على رأس أمي كوفيّة وعباءة رجالية ونظارات داكنة. سيلصقون فوق شفتيها شاربين يحيطوهما بلحية رمادية وقبل أن يخرجوني بعجالة وصمت مطبق من البيت سيكرعون كميات خرافية من الخمور لكي

يتمكنوا من السيطرة على ارتجافات الرعب إذا ما اشتبه بالموكب حاجز (جهادي) وهم برفقة جثة شيعية يُراد لها أن تُدفن في مقبرة أبي حنيفة النعمان السنيّة.

حين يجدون أنفسهم في باحة تتوسطها دكّة غسل الموتى ويرون الدفانين المختصين بالتغسيل والسدر والكافور يفتحون كفني ويرصفون أشلاء جسدي فوق الدكّة سيشرعون أيضا بتغسيل الأشلاء. سيهيلون ماءً قراحا وسدرا. سيحلقون شعر رأسي المنفصل عن رقبتي، وسيفرّشون ما تبقى من أسناني وسيحاكون ما يفعل الدفانون بطريقة مثيرة للضحك. بل وسينبرون وهم مخمورون بتلاوة آيات قرآنية:

- **بسم الله الرحمن الرحيم. قل هو الله أحد. الله الصمد. لم يلد ولم يولد ولم يكن له كفوا أحد.**

وذلك أمر سيشجّعني أن أحدثهم لأقول إنّ الأمر كله لا يعدو أن يكون كذبة بلهاء وأطلب منهم العودة إلى بيتي لإخراج أبي من دورة المياه المقفلة، لكنهم لن يسمعوني. بل سيمتثلون لتعاليم أسطة الدفانين فيجمعون أشلاء جسدي بالتسلسل الذي سيحدده لهم: لحم الصدر والأضلاع. الرئتان والقلب داخلهما. الحجاب الحاجز في مكانه. المعدة والكبد ثم الأمعاء داخل البطن. الذراعان إلى جانب الكتفين. الساقان والقدمان.

سيتقيأ عبود العكايشي إذ يرى أحشائي المتفسخة وسيسحبه بعضهم إلى الخارج ويضعني آخرون في كفن نظيف ثم يسجّون أشلائي داخل التابوت. سيحملوني إلى المقبرة هاتفين (لا إله إلاّ الله محمد رسول الله) التي لن تتوقف حتّى بعد أن تُرمى أشلائي المكفّنة داخل اللحد المحفور، وحتى بعد أن يكشف حفار القبور عن وجهي، وبعد أن يهوّم على المكان وجوم (أبو عمر) الذي سيقرفص على رأس قبري ويهمس ملقّنا:

- أتسمعني يا حازم بن بتول ابنة ساهرة التكريتي؟

سيثير انتباهي أنّ (أبو عمر) لا يذكر اسم أبي وسأرى أمّي وقد هوّم عليها الصمت وأغرق التأمل أوصالها وهي ترنو إلى وجهي الذي انحسر عنه الكفن.

أما (جماعة ناجين) المعتعتين من السكر فإنّهم سيشبّون إلى عنان السماء قافزين عند فوهة قبري يرافقهم العويل وتكبيرات (لا إله إلاّ الله) بينما تشدّهم إلى الأرض أحذيتهم المكفهرة التي سيصيبها مسٌّ وهي ترجم الأرض حتّى يخون التوازن عبود العكايشي فتلتوي قدمه ويسقط على الأرض غارقا بالعجاج الذي تسبّبتْ به فوضى الأحذية متراطما بالباقين حتّى تبدو الحالة للناظر من بعيد وكأنّها حفلة تعذيب يخوضها جلادون ضدّ معتقل أعزل.

وحين لن يأبه أحد منهم لغرق أمي بالصمت ولا لوجوم (أبو عمر) ولا لإشعاع وجهي داخل اللحد سأنادي عليهم أن يكفوا وأن يعلموا أني مازلت حيّا بينهم، رغم أني واثق أنّ ترنّحهم السكران وعويلهم وتساقطهم فوق بعضهم البعض أمورٌ ستمنعهم من أن يسمعوني.

سأسربل نفسي عندها بالصمت كأمي وأتوغّل مع (أبو عمر) بتراتيل كلمات ستصيبهم رويدا رويدا بالخرس:

- **يا حازم بن بتول ابنة ساهرة التكريتي!! سيأتيك من ملكوت الله ملكان صالحان ويسألانك من هو ربّك وما هو دينك ومن هو نبيك وما هو كتابك. فقل لهما إنّ ربي الله، وإنّ محمدا نبيّي، وإنّ الإسلام ديني، وإنّ الكعبة قبلتي، والقرآن كتابي! يا عبد الله بن بتول ابنة ساهرة التكريتي..**

وسأقاطعه:

- **أنا حازم بن بتول وسعدون! ابن سعدون وبتول!**

ولكنه لن يسمعني:

- **يا عبد الله بن بتول ابنة ساهرة التكريتي اسمعني جيدا فعسى أن تكون من الموعودين بالجنة. قل إن الله ربّي! وإنّ محمدا نبيّي!**

وستفلت هذه المرة من شفتي والدتي ثلاث كلمات عفوية:

- **وإنّ عليّا إمامي!! وإنّ عليّا إمامي!!**

بيد أنّ عبود العكايشي الممرّغ بالتراب والأحذية سيقفز من الأرض ليكمّم فمها حتّى لا ينتبه أبو عمر إلى أنّ الرجل البالغ النحافة ذا العيونات الغامقة هو امرأة وليس والدي كما سبق وأن قدمته المجموعة الثملة.

***

سأبقى معلّقا إلى وجه أمّي متذكرا أنها كانت تردد (وإنّ عليّا إمامي!). فأنا لم أسمعها تقول أبدا إنّ عليّا إمامها ولا أبا بكر أو عمر خليفتها، ولم أرها تفرّق بين شيعي وسني رغم انحدارها من عائلة سنيّة تكريتية حطّتْ الرحال في بغداد قبل ستين عاماً.

سأرى أمّي التي لا تعرف الصلاة ولا تعترف بوجود خالق لأسباب (شيوعية) تعجبُ من نفسها وهي تسمع صوتها ينطق بشكل لا إرادي:

- **وإنّ عليّا إمامي!**

وسألاحظ أيضا أنّ صوتها يتخشّن أثناء الكلام انسجاما مع الدور الذي فرضه عليها أبي وأجادتْ إخراجه (جماعة ناجين السينمائية).

لم تكن أمّي تؤمن بالمذهب السني ولم يكن أبي يؤمن بالتشيّع رغم أنّ أصله من مدينة النجف وينحدر من نسل الإمام الحسين بن علي بن أبي طالب، ذلك أنّه انغمر بالأفكار العلمانية منذ أن ترك بيت جدّي احتجاجا على فضيحة أسريّة مدوّية.

بعد أن يهيلوا عليّ التراب سأراهم يذهبون دون أن يلتفتوا إلى قبري تجنبا لما يشاع بأنهم قد يسمعوني أناديهم. الوحيد الذي سيبقى إلى جانب قبري هو أمي المموّهة بزيّ رجل.

سأتمعّن فيها جيدا!

إنّ هيئتها الذكورية التنكرية لا تشبه أبي إلا بمقدار ما يشبه أسد بابل نصب الحريّة الأمريكي، كما إنّها لا تشبه أمّي بقدر ما تشبه تلك المرأة المزمومة الشفاه التي سبق وأن علقت في فؤادها صورة مبهمة إذ كانت في صالون بيتي وحامتْ حول جسدي الآخذ بالتفسخ. أعني صورة استخارة الله من الميت والأحياء. تلك الصورة الغريبة المؤلفة من كلمات تكبير لمرات أربع خالية من السجود أو الركوع، ومن أدعية عن حيرة المرء، واستجداء استشارة، ودعاء مدبّجٍ داخل القلب إلى الله، وركعتين، ونوم مباغت أثناء السجود، وصحوة محمولة على صوت إلهي يوجّهها إلى السبيل:

- **تلفّعي بأردية الرجال يا بتول واذهبي لكي تدفني ابنك حازم.**

في النفق الحلزوني

ينفجر جدار التجويف كأنّ قذيفة هرسته فاستحال أنقاضا أضاعت

القصة التي مرّت بي وأمي وجماعة ناجين ولم أعد أنا نفسي سوى نثارٍ ممزقٍ

في النفق على الرغم من أنّي (يا للعجب!) موحّد داخل نفسي:

- أنا حازم كمال الدين السفّاح!

أصيح في النفق فلا يتغلغل الصوت إلا إلى أجزائي كصمغ يشدّ الأجزاء

إلى بعضها البعض!

أسمع كلابا بوليسية ملجومة الأفواه ترغي داخل النفق الحلزوني؟

أسمع رجع صداها؟

أسود تمور؟

هدهدة؟

ميكروفونات؟

- أنا حازم كمال الدين السفّاح. أنا ابن سعدون بن عبد الحميد سليل فحل النخيل والد البغل من جدّ جدّه عبد الهادي المتزوج من عشرين امرأة وأربعة أشجار حمضية وسبعة أسماك نهرية.

ألم أقل إنّ هذا الأمر ليس غريباً على الأسر العريقة؟

هل قلتُ إنّ حمد الحمود السفّاح هو جدّي؟

هل قلتُ إنّه التقى الثور المجنّح؟

أفكاري تتفكك، يستعصي عليّ تركيبها بسبب تناثر أجزائي الموحّدة.

تجويف جديد يولد من زبد النفق الداكن فيمتصني ويرميني في لجّة زغابات اسفنجية أشدّ بياضا من الحليب!

تجويف ثالث في النفق..

الثور المجنّح

تمتلك عائلة ابن حفيدي الذي كان صديقي الأعزّ تواريخ شفاهية سريّة. طقوس باطنية تتناقل في محافل العائلة عبر الأجيال. تواريخُ أبطالها أجداد وأحفاد. واقعاتٌ، مقدّسةٌ، حافظت لأجيال وأجيال على تماسك العائلة بوجه العالم الخارجي. لكنّ تلك الحكايات التاريخية تسرّبت عبر الزمن إلى الأحياء الشعبية في مدينة بابل وأصبحت، رغم سرّيتها المفترضة، أساطير مفتوحة على الإضافات والحذوفات والتحويرات.

الثور المجنّح واحدة من تلك الواقعات السريّة. وهي واقعة رهيبةٌ أيام جدّنا الأكبر الذي تقول عنه أساطير العائلة بإنه أحد أحفاد النبي سليمان دون أن يسأل أحد كيف يستقيم لعائلتنا أن تكون شجرتها ممتدة إلى علي بن أبي طالب المكيّ وإلى النبي سليمان صاحب الخاتم في الوقت ذاته!

جرت الواقعة كالتالي:

ثور مجنّح كان يطوف حول البساتين ويضرم النيران فيها. أشعل النار في بساتين مدينة (ذي الكفل) الواقعة بين بابل والنجف وأحالها إلى بحيرات تتغذّى ألسنة نيرانها من نفثات الكائن السماوي المجنّح. كل ريشة في جناحه كانت توازي بركان جبل.

وبعد أن كاد الثور المجنّح يلتهم كافة المزارع ويتركها سبخة متفحمة استجار أهل بابل بجدّنا الأكبر الذي لم يخيّب النداء. فلاحق الثور المجنّح من بستان إلى آخر، ومن قرية إلى ثانية، ومن هضبة إلى جبل، فهبط وديانا، وعبر أنهارا، حتّى وصلا جنائن بابل المعلّقة الشهيرة فقرّر الثور أن يختبئ فيها متربصا بالجد.

وإذ كان جدّنا الأكبر يحوم بحثاً عن الثور المجنّح المختفي في أحد أخاديد البساتين أفلتت من جناحه خفقة فتطاير ريش من نار ضرب جزءا من أشجار الجنائن العملاقة وأحالها طوفانا من اللهيب لم يخمد إلاّ بعد أن استحالت الأشجار جمرا فرمادا ثمّ جرحا غائرا في خاصرة الجنائن.

في أعماق ذلك الجرح تكثّفت أرواح جدّنا السبعة ونصبتْ كمينا للثور المجنّح الذي خرج من الأخدود وتقدم صوب الحرائق. وكمثل من قال كن فيكون اندلع جدّنا الأكبر من رماد الأشجار متنكّبا فأسا محفوظا من زمن

الأوّلين. وفي لحظة خاطفة، وكالمجاهدين الأشاوس، بتر لسان الثور الناري ثم كسر له ضلعا أيسرَ وقعقع وزأر مجلجلا:

- **اترك البساتين وإلاّ سأذبحك. اتركها كما كانت أيها الثور المجنّح وإلا زلزلتُ بك الأرض زلزالا. سأقتلك. بشرفي سأقتلك!**

فسخر الثور المجنّح من جدّنا الأكبر إذ سمع عبارة (بشرفي سأقتلك!) وانقض عليه. فكان ما كان.. انقلبت بقية الجنائن المعلقة واندلقت كهوفها إلى الأعلى واندفن رأسها في الأخاديد، وساحت أمعاؤها كحمم البراكين فبان في أعماقها ظلام حليبيّ حالك التفّ حول جدّنا الأكبر فاختفى بمثل سرعة ما ظهر.

ارتفع عويل النسوة إلى عنان السماء إذ شاهدن جدّنا الأكبر يختفي وطافت تراتيل الفلاحين على السهول والوديان، ونبتت مراثي استشهاده في الفلوات.

ولكن.. على حين غرّة فتح الظلام الحليبيّ اللون ثغره كالشرنقة ففاح دخان أزرق كجناح الفراشات وتغلغل في كلّ فجّ عميق، والتحم بسديم قرمزي، وانبرت من ثنايا الدخان الأزرق صرخات مجلجلة شقّت الكون شقّا:

- **سأقتلك.. سأقتلك. بشرفي سأقتلك. أيها الثور المجنّح سأقتلك.**

وانبعثتْ هيئةٌ عجيبةٌ للجد الأكبر من أعماق الصرخات ومن ثنايا الظلام ومن أخاديد الأرض ففرّ الثور المجنّح مذعورا إلى قلب السديم، بيد أن جدّنا لاحقه من جبل إلى وادٍ ومن سَهْبٍ إلى سهل حتّى أدركا قلب بابل، فدار الثور المجنّح ودار حتى غشي الأرض سحابٌ كالدخان، ودار الجدّ الأكبر كذلك ودار، وانبعث من الثور خوار كمثل الأعاصير فجلجل الجدّ الأكبر:

- **اترك البساتين وإلا سأقتلك.. سأقتلك. سأقتلك.**

تجمّع أهل بابل فوق أسطح المنازل وراحوا يراقبون المتصارعين، فدبك جدّنا وأنشد كما يفعل المجاهدون هذه الأيام وقفز أسد بابل من منصته ووقف إلى جانب جدّنا الأكبر وطفق يزأر. ارتمى جدّنا على التراب فزلزلت الأرض زلزالها وهبّ حسام الأولين من أوصالها، فجزّ عنق السحاب ليكشف للناس إذ تبدّد عن الثور المجنّح وقد أمسى رأسا دونما جسد.

وبينما كان الرأس يحتضر فوق راحة جدّنا، ركعت شفتاه وراحتا تقبّلان راحة كفه الملطخة بالدم بينما ظهر جناحاه الكونيّان من قلب السديم يرفرفان ويتعثران ويذبلان بعد هنيهة على أرض ساحة القرية تاركين جذع الثور يترنح أولا ثم يتكربح ويهمد عند قدمي الجدّ الأكبر! فبارك أهل بابل جدّنا هاتفين:

- أنت البطل، أنت الأوحد. لقد سفحتَ دم الثور المجنّح الرهيب. أنت السفّاح.. أنت السفّاح..

-

وبعد أن توقف الثور المجنّح عن الترافس نهائيا أنزل جدّنا الأكبر على أهل بابل تعاليم السلخ والتعليق والتمزيق:

- اقطع جناحي الذبيح وادفن ريشهما سمادا للجنائن المعلقة، افرش بسطا وضع عليها جثمانه، قطّع ساقيه من الركبة ويديه من المرفق، اسلخ جلده من الساق. لا تترك لحما عالقا على جلده. لا تخزق الجلد. احشر نصلا حادّا بين الجلد واللحم ثم اسحب الجلد حتّى تصل الورك، لا تُدخل رأسك في شرجه، اترك إسته واذهب إلى المرفق، اسلخه من هناك حتّى تصل الصدر، اترك الصدر واشلخ وركه بالقرب من الفقرات العجزية، اربط الذبيح بالحبال، علّقه من ساقيه واسلخه من البطن حتّى الصدر والكتفين.

وبتنظيم فائق الدقة ظلّت التعاليم تترى على أهل بابل الغارقين بتقطيع الثور المجنّح أشلاءً أشلاءً:

- شقّ القفص الصدري نصفين من العمود الفقري. افتح البطن. استأصل الرئتين والفؤاد والمعدة والكبد. انتزع الأمعاء. اقطع الذراعين عن المفاصل. افصل الكتفين عن الصدر..

وبعد انتهاء السلخ والتقطيع ترك جدّنا الأكبر كل شيء لأهل بابل ماعدا جلد الثور المجنّح. فقد صنع منه بردةً وسرج بعير وضرب منه خيمة أمام معبد بابل.

في النفق الحلزوني

تذوب زغابات التجويف كالملح في الماء.

أراقب ألوان الحكاية الأسطورية وهي تبهت وكلماتها تتسرّب وحرارتها الدرامية تهبط وإيقاعها الهائج يهبط ويختفي كمثل اختفاء التجويف وانقذافي في النفق واصطفاقي بجلده أو جداره القاتم.

أصير مسامات في جدار النفق تكبر وتصغر بناءً على قتامة الجدار أو الجلد!

- **أنا حازم كمال الدين السفّاح. أنا حازم بن سعدون بن عبد الحميد سليل فحل الـ...**

ما هذا الهراء!

هل أصابني الجنون؟

لماذا أشعر بسعادة لا متناهية وكأنّي تخلّصتُ من حمل ثقيل؟

تخلصّتُ من جسدي؟

تخلّصتُ من وزر الحياة في الأرض؟

أم أنّ ما ينفتح أمامي الآن هو تجويف جديد يقودني ثانيةً إلى الحياة؟

تجويف رابع في النفق..

الطنطل

لم تتوقف أساطير عائلتنا على تواريخ الأجداد التي كانت تنمو عادة عبر عقود من الزمن، ذلك أنّها اشتملتْ أسطورةً عن ابن حفيدي وصديقي حازم كمال الدين رغم حداثة موته.

فما أن مات السينمائي المنسي حتّى وُلد من جديد في محافل العائلة على هيئة واقعة مقدّسة سريّة ترعرعت في بحر عام واحتلت مكانا إلى جانب واقعات العائلة الكبرى. ويبدو أنّ السرعة الصاروخية لولادته كواقعة مقدسة عائدة لطبيعة أرض الرافدين هذه الأيام. فتلك الأرض مجبولة على أن لا تُزهر إلاّ إذا سمّدتها البلايا. وكأنّها أرضٌ عصيّةٌ على إنتاج أساطير لا يروي نسغها إلا دماء الأولياء والأئمة، ولا يخصّبها سوى تصحّر الأنهار، ولا ينير سماءها غير احتجاب الأقمار عارا واتّشاح الشموس بدخان المدن المحترقة.

(الطنطل) هو اسم الخرافة البطولية عن ابن حفيدي وصديقي الأعز.

خلال عام شيّدتْ الذاكرة العائلية أحداثا أسطورية أبطالها الطنطل، قاطع طريق (بساتين اللطيفية)، والمرحوم حازم كمال الدين الذي سلك ذلك الطريق من بغداد إلى بابل.

وتصف الأسطورة الطنطل أنّه في هيئة تمساح لّمعت الرمال أسنانه حتّى توهّجت كجموع من السيوف في ظهيرة مشمسة. مملكته البيداء والبساتين. إذا خاض في الرمال بدا وكأنّه سراب، وإذا جثم على بستان ظنّه الناس ضبابا. ثقله مائة وعشرون ألف طن وعرض صدره أربعمائة متر.

حين وصل البطل القادم من بغداد بوابة (بساتين اللطيفية) بالحافلة أوقفه الطنطل وسأله عن أصله وفصله. وبعد أن دقّق في هوية الأحوال المدنية ودقّق سأله بنبرة يشوبها الوجل:

- **هل أنت حقا من نسل الخليفة علي بن أبي طالب (رض)؟**

فأجاب البطل بلا مبالاة.

- **أجل!!**

فتحول وجل الطنطل إلى ما يشبه الاحتجاج:

- **وتجرؤ أن تسلك هذا الطريق؟**

فردّ عليه البطل بتحدّ:

- **لابدّ أنّك تعلم أنّنا جُبلنا على الإقدام كجدّنا الحسين الشهيد!!**

فما كان من الطنطل إلاّ أنّ اقتلع حزمة نخيل أطوالها ستون مترا وانتزع منارة مسجد. قذف البطل بالمنارة التي بدت مثل صاروخ بعيد المدى فقفز البطل بعيدا عنها. تقدم الطنطل ورمى حزمة النخيل الشبيهة بمكنسة ساحرات شيطانية، فاستجمع البطل آيات قرآنية وأحاديث نبويّة ومقتبسات من نهج البلاغة وقرأ واستغرق في القراءة ومنها:

- **دواؤك فيك وما تُبصر وداؤك منك وما تَشعر.. وَتزعم أنك جرمٌ صغير.. وفيك انطوى العالمُ الأكبرُ.. سأصبر حتّى يعجز الصبر عن صبري.. سأصبر حتّى ينظر الرحمن في أمري.. سأصبر حتّى يعلم الصبر أني صبرت على شيءٍ أمرّ من الصبر.**

هكذا ظلّ يرتّل حتّى تغلغل الإيمان في كيانه وانبثق من أعماقه صوت كوني مؤطرٌ بتراتيل وأناشيد وتجاويد دارتْ ودارتْ واستحالت هالة أحاطت به وصدّتْ سهام النخيل وقذائف الصواريخ وغير ذلك.

وتقول الأسطورة إنّ البطل نزل إلى ساحة الوغى زوّادته الهالة والصمت والصدى، اللائي شكّلن قوس قزح هائلاً منيعاً. تلك كانت هالة ذات قوة مغناطيسية تجذب ما تمسّه وتحيله حجرا. وحين عجز الطنطل عن تجنّب الهالة أدرك أنّ الهزيمة قادمة فأطلق استغاثة شقّتْ الأرض فسقطتْ

البساتين في أحشاء زوبعة ترابية التفّتْ على نفسها وجدلتْ من النخيل ترسا لها.

تقول الأسطورة إنّ ذلك كان ترساً وتقول كان كساءً أو جلدا مرقّطا استقام في هيئة سيّاف خرافي يقال له أمير البساتين. انتزع السيّاف نهرا من أعماق الأرض وصوّب مياهه الثقيلة الغامضة تجاه الهالة الكبرى، فتحطمت ما أن لامسها ذلك السائل الغريب.

وتقول الأسطورة إنّ أصل ذلك السائل المبهم دماء مسفوحة تجمّعتْ في أوردة الأرض وتزاوجت عبر الزمن مع بقايا ديناصورية وتعاويذ إبليسيّة ومعدنٍ سائلٍ عجيب اسمه التيزاب وانتظرتْ ظهور أمير البساتين.

وحين تساقطت آخر طبقات القوس قزح وتهشّمت كالزجاج، أصابتْ البطل طعنة بالظهر من خنجر مسموم، فسقط على ركبتيه واستشهد واقفا كأشجار العصور الخوالي العملاقة!

كانت تلك طعنة أمير البساتين الغادرة!

***

بيد أنّ الخرافة التي تخص جدّ ابن حفيدي وصديقي وحملت اسم (سيرة الآباء في إنقاذ الأبناء) هي الأهم بين أساطير عائلتنا.

إنّها خرافةٌ تحكي عن طفلة جميلة عمرها 11 سنة في محيط منطقة الأعظمية. أمّها وسيطة أرواح مجوسيّة وأبوها عرّاف من غابات الأفيون الأفغانية.

تقول الخرافة إنّ أمّها درّبتها منذ المهد على لبوس الخشوع حتّى نبتت لها برعمة في الثدي عند بلوغ التاسعة من العمر. يومها حطّمتْ وشاح خشوعها وعلّمتها أصول إشاعة الشبق وأطلقتها لاصطياد العشاق تعشعش في رأسها الوصيّة التالية:

- إذا ما أوقعت عشيقا في حبال الشهوة تمنّعي، وراوغيه. عند منتصف الليل اكشفي له عن جزء من صدرك. رويدا رويدا ضمّيه إليك وقبّليه. اتركي لسانك يجول في ثنايا فمه. اقبضي على لسانه واسحبيه إلى كهوف فمك، ومصيّه حتّى يصل بلعومك. واصلي المصّ إلى أن تنطّ من خلف أذنيك مجسات ويستطيل من عجزك ذنبٌ ينتهي بشوكة سم. اغرزي الشوكة في رقبته وانفثي الزفير في فمه. سيغدو الزفير وسمّ الشوكة زبدا وموجا يلد عفاريتَ تتغلغل إلى أحشائه فتلتهم أوصاله ولا تبقي داخل البدن شيئا غير الخواء وقبض الريح. بعد أن تستوطن العفاريت جسده المجوّف ويصبح عبدا ملغوما بالعفاريت أرسليه للقيام بالمهمات التي نريد.

طفلة تحذو حذو نجاري حصان طروادة الخشبي لكنها لا تصنع حصانا من خشب، وإنّما عشيقا آدميّا مجوّف الجسد تملؤه العفاريت.

لقد أوقعتْ في شباكها عشيقا يقال له الأخضر، وراعياً للقطيع يقال له الأحمر، وبستانيا اسمه الأصفر. وبعد أن كانت تنجز طقوس منتصف الليل المرعبة تداهمها سنةٌ من النوم شبيهة بنوم أهل الكهف. وعندما تصحو ترتاع مما اقترفتْ يداها: فالأخضر الوديع استحالت أحشاؤه ألغاما لتفجير بوابات العالم الأسفل، والراعي أمسى شيطانا في زيّ ملاك، والبستانيّ انقلب جنيّا في صورة فاكهة غير محرّمة. ولم يكن يهدأ لها بال إلا إذا ركنتْ إلى أحضان أمها.

ذات يوم أوقعتْ في شباكها عشيقا مسيحيا أرادها أن تهرب معه من المدينة، لأنّ أهله يحرّمون الزواج من (المجوس عبدة النار والثور!) فأحسّت بالإهانة لكنها اتبعتْ تعاليم أمها في الخضوع له وازدردتْ نيران غيظها وأطلقت مواطِئ شهواته في غرفتها المغلقة. وعندما انتصف الليل لم تتمالك نفسها فاندلع منها إعصار غضب وأمسكت بإنجيل عيسى المسيح المتدلي من رقبة العشيق وانتزعته ثم رمته في أتون نار المجوس المقدسة، الأمر الذي أوقع العشيق بصدمة مباغتة أودت به إلى الإغماء. وحين استفاق أدرك ما ينتظره على يد الطفلة التي تحوّلتْ عقرباء خرافية.

راح يجري بلا أمل في غرفتها المحكمة الإغلاق بحثا عن مفر.

وتقول الخرافة إنّه ظلّ يجري حتّى أمسكتْ به العقرباء وقضمتْ حنجرته فتوغّلت من هناك جموع العفاريت إلى جسده. بيد أنّه لم يتحول إلى لغم موقوت كبقية العشاق.

ذلك أنّه مات.

وبعد العثور على جثته متفحمة ممزقة في مزبلة شارع المغرب المتاخمة لمنطقة الأعظمية، قرّرت أسرته الانتقام من عاهرة (عبّاد الثور!)، فهرع رجالهم بالسكاكين وأمواس الحلاقة وسياط الجياد والخناجر، والبلطات، وهرعتْ معهم قبائل شارع المغرب المجاور لمنطقة الأعظمية.

وبينما اختفى أهل الطفلة وعشّاقها المجوّفون في فطور الجدران المتآكلة، ظلت الطفلة سادرة في النوم. تقدّم منها شقيق القتيل وأزاح عنها الغطاء. وقبل أن يعي ما يفعل وجد نفسه مولولا قافزا قفزة عملاقة إلى الأعلى.

فقد هاله ما رأى.

وقبل أن يغمى عليه نتيجة ارتطام رأسه بسقف الغرفة انبجست من حنجرته بقايا كلمات:

- عقربة عملاقة.. ليست امرأة!

فبعث الملك فيصل الثامن عشر كتيبة خيالة لتقتل العقرباء، لكنها وجدت نفسها أمام طفلة إنسية وليست عقربا. ومع ذلك كبّلتها الكتيبة وساقتها إلى جامع الإمام الأعظم ومقام أبو حنيفة النعمان في منطقة الأعظمية وأوثقتها إلى شباك الضريح. وظلّت الطفلة تهزّ الضريح بقوة جبارة غريبة وتصرخ وتتقافز حتّى كادت أن تمزّق معصم يدها وتحطّم الوثاق. فأمر الملك فيصل الثامن عشر باستدعاء شيخ من الأهوار قادر على قراءة الجلجلوتية الكبرى الكفيلة بطرد الجان والعفاريت.

وقيل إنّ شيخ الأهوار أجبر العفاريت على الفرار من جسد الطفلة واحدا واحدا وأفشل حركاتها الهستيرية من اقتلاع شباك ضريح الإمام أبو حنيفة النعمان. وبعد أن بقيت أمام عينيه أربعين يوما وليلة أعيدت إلى أهلها الذين أخذوها وهجروا بغداد إلى بابل. وبعد وصولهم بابل ببضعة أشهر أهداها أبوها عروسا لسعدون بن عبد الحميد كمال الدين السفّاح. ولأنّ الطفلة كانت عقرباء وأهلها من العفاريت لم يقبل جدّ ابن حفيدي وصديقي الأعز تزويج ابنه منها. في ذات الوقت لم يستطع أن يعلن الرفض. فمن العار في ذلك الزمان أن يرفض أحد يد فتاة عذراء.

50

أما كيف عرف الجدّ بأنّ الطفلة عقرباء وأهلها من عالم العفاريت فقد حدث ذلك كلّه في المنام. إذ زاره طيف النبي سليمان إلى المخدع ومرّر خاتمه الشهير فوق جبهته فارتعد الجدّ واستيقظ. كان الطيف واقفا يلوّح بعصاه وكأنّه أبٌ يقول لابنه تعال معي، ثم انسلّ خارج المخدع فتبعه الجدّ. ومن الحديقة إلى الشارع إلى نهر الفرات حيث استقل الطيف زورقا وسبح الجدّ خلفه حتّى منتصف النهر.

وكما تحدث المعجزات لمستْ عصا سليمان الماء فانفلق نصفين فرأى على جدار الماء خطيبة ابنه في هيئة عفريتة عقرباء. رآها تتزوج من ابنه وتنبتُ لها مجسّات وشوكة سمّ عند منتصف الليل، ورآها تحيل جسده إلى حصان طروادة آدمي مسكون بالعفاريت. ورأى على صفحة الماء صورا لبعض من جوّفتهم الطفلة ومنهم رئيس وزراء العهد الملكي وقادة انقلاب شباط الدموي، والطنطل، وقواويد الغجر، وجحوش الأكراد، والحجاج بن يوسف الثقفي، والثور المجنّح، وشقاوات الحارات الشعبية وجورج دبليو بوش.

ففزّ الجدّ من نومه وكأنّ مسّا أصابه. فلم يسمع الجيران أذان الفجر ذلك الصباح وإنّما صراخ (سيّد) عبد الحميد كمال الدين المجلجل:

- وحق النبي سليمان سأفعل ما تأمر به! سأقوم بما أمرتني به يا مولاي ولن أترك ابني فريسة للعفاريت.

وقرر الزواج من الطفلة تضحية بنفسه لإنقاذ ابنه. ولمّا أخذت طقوس الزواج طريقها إلى دكاكين الصاغة وأطوال البزّازين ومسالخ القصابين وأخشاب النجّارين وهمس العارفات بأصول طاعة الزوج في كل الأماني والرغبات رسم الجد عبد الحميد خطة محكمة وبعث ابنه سعدون إلى بغداد تجنباً لما قد يصيبه ليلة الدخلة.

أقيمت طقوس العرس وحضر أهل الطفلة وعشاقها الملغومون بالعفاريت. وفي لحظات انتظار أهلها لانتصاف الليل وتحوّل عبد الحميد إلى حصان طروادة آدمي، تجلّى لها الجدّ في المخدع كطيف لا يمسّ ولا يُجرح. فداعبته الطفلة العقرباء بكلام يوقظ الشبق، وخلعتْ رداءها وبانت مواطئ اللذة بين ساقيها ونادت عليه:

- ضمّني إليك! أنت زوجي! كن حبيبي الذي اختارك لي أبي وسأكون زوجة مخلصة لك. سأعدّ لك مركبة ملكية أبوابها من ذهب. وسأربط العفاريت إليها لتقودها بدلا من الحمير!

وأرادت أن تقبّله بيد أنّها لم تتمكن من لمسه فقد كانت يدها تضيع في الهواء كلما ظنّتْ أنّها أمسكت به! ودون أن يلامسها الجدّ عبد الحميد افتض بكارتها مقتفيا تعاليم النبي سليمان التي استلمها منه في قلب النهر!

وقد حدث افتضاض الطفلة عن طريق ترديده لأسماء الله السبعة التي تعالت وتعالت وجالت أرض الغرفة والسرير وطوّقت ساعديها وعنقها وفخذيها وعصرتها كما تعصر الملابس المغسولة وانتزعتْ بكارتها فسمع أهلها صراخا عجيبا تحول تدريجيا إلى بكاء طفلة تبعته قرقعة عفاريت هاربة مولولة.

في النفق الحلزوني..

هدير مفاجِئ خارج الكوّة.

يتلقفني النفق الصاعد نحو بصيص يلوح.

أمواج النفق العاتية تعاجلني برمية في تجويف يبتلعني كحوت يونس ثم يلفظني إلى النفق.

يقذفني النفق إلى كوّة شبكية تذكرني ببيوت العنكبوت.

أُدفن في تجويف،

تنتزعني عاصفة،

يلتهمني تجويف،

يمتصني مريء،

تنتزعني معدة يمور فيها طوفان.

ترميني المعدة إلى تجويف.. إلى، إلى، إلى..

لا أستطيع التعريف بنفسي والقول إني حازم كمال الدين السفّاح وباقي التسلسل في شجرة الأنساب.

وهل التعريف بنفسي مهم؟

تجويف خامس في النفق..

الكاهن گالا ماخ

تتوقف سرعة دوران أفكاري إبان ولوجي تجويفاً يشبه لوحة زيتية من نوع (حياة صامتة).

أرى أبي، عالم الآثار الشهير، وحيدا في صالون بيتي بعد أن حطّم شباك دورة المياه ونفذ إلى الحديقة ثم عاود دخول الصالون ليكتشف أنّ الجميع قد غادروا إلى المقبرة.

ستمضي نصف ساعة قبل أن يرى أبي نفسه، في رؤيا، خاشعا متعبّدا فوق سجادة الصالون. سترمي يده وشاحا أبيضَ طويلا على جسده، وستنهال بالمياه على رأسه. سترتفع يداه إلى الأعلى وتندفع ركبتاه إلى الأمام. ولبرهة من الزمن سيحلّ ظلام رخيم في صالة البيت.

سيكشف أبي عن وجهي الميت وأنا في التابوت.

رغم أن الجميع قد غادر إلى المقبرة حاملين تابوتي بيد أنّ تابوتي مازال في صالون بيتي وأبي يكشف عن وجهي!

سيزيح أبي الدود عن أنفي وتسقط أثناء ذلك دمعة فوق عيني المغلقة، وسيغطّي وجهي مجددا بالكفن. سيحمل تابوتي الثقيل على ظهره ويجول الشوارع الخالية بسبب حظر التجوال. وإذ هو يسير مغرورقا بالأفكار وبالدموع سيعود كل شيء إلى الوراء.

إلى الماضي؟

إلى الزمان السومري؟

الأيزيدي؟

لا أدري!

سأرى في صالون البيت تابوتي وأبي وشوارع تخلو من سيارات العسكر والسيارات المفخّخة. سأرى في أرجاء بيتي فرقة من (الگوّالون) السومريين تستحضر شعائرَ دفن.. ليدفنوني.

سيدوزن (الگوّالون) آلاتهم الموسيقية وينصتون لانسجام بعضها البعض. سيضع الكاهن الآشوريّ الكبير لَبَناً في قربة تساعده زوجته. سيخطّ بالزبدة كلمات لن أراها على ورق بردي مغلي. سيأخذ منه أبي ورقة بردي فائرة ويوقّع عليها بختم أسطواني. سيخط كاهن مساعد من أوروك

بمزيج من السمن البقري وصمغ شجرة النارنج شيئا على لوح طيني. سيضع أبي ختما أسطوانيا بابليا على مؤخرة اللوح.

الكاهن الكبير رداؤه من جلد ثور بنّي غامق. والكاهن المساعد تسربله جبّة طويلة من وبر الثور ولحية مجدولة كسعفة نخيل تهبط حتّى تصل قبضة عصا مستقّرة في يده اليمنى.

ترتدي زوجة الكاهن الأكبر لباسا احتفاليا فضفاضا ألوانه كتل كبيرة حارة تبدو من بعيد وكأنّها ضربات زيتية أولى لرسام وليست أزياء حقيقية. قطع قطنية وكتّانية يعلوها برقع بدوي خيوطه من وبر الثور.

هل هذه بابل أم أوروك؟

سأسمع موسيقى على آلتي الشبّاب الآشوري، والدفّ السومري الموسيقيتين المقدّستين. هل هو طرب في صورة تراتيل أيزيدية، أم موكبُ عزاء ذو شجن طروب؟

سينهمك أبي بشرح أصل تلك الأناشيد ومبناها وهو يرى مندهشا كيف تنبثق أشجار وارفة ترفل بريش الطاووس في جدران الصالون لتفتح طريقا مشجّرا ينطلق إليه الموكب الجنائزي الشبيه بمواكب الغجر الصاعدين إلى السماء.

وبين شرودي وتحديقي بعملية تحوّل الصالون إلى طريق سأرى أبي يقود الموكب دون أن يتوقف عن الشرح، ولكأنّ قيادته عملية وصف لتوالد الأشجار وامتدادها الموغل حتى المقبرة.

سيقول أبي:

- **لا صحة لما يشاع من أنّ أتباع الديانة الأيزيدية يكرهون الله. الصحيح هو أنّهم جماعة تعبد الإله الذي خلق لنفسه سبعة أرواح منح أحدها إلى الملاك طاووس. والملاك طاووس هذا هو القيّم الإلهي. إنّ قصته عظيمة. فيوم خلقَ الله آدم وأمره أن يسجد له، إنما لأنّه لم يكن يريد تحقير الملاك طاووس وإنزاله من مرتبة الملائكة إلى كائن يسجد للبشر، بل كان يريد اختباره فيما لو كان سيسجد لغير الله. وحين أبى الملاك أن يسجد لمخلوق من الطين انفرجتْ أساريره ومنّ عليه بالمرتبة العليا وهي أن يكون روحا من أرواحه السبعة وأعطاه مهمة إدارة العالم وهداية البشر. إنّ الملاك طاووس هو الهادي وليس العدو.**

وسيتقدم أبي، سادرا في الشرح، جنازتي التي تخرج من داري عبر الطريق القروي المشجّر إلى المقبرة. ستأسر أذنيه تراتيل وعزف الكاهن الموسيقي السومري الكبير (گالا ماخ). وسيسمع إلى جانب ذلك الكاهن المساعد (گالا) مغنيا وعازفا على آلة الـ (بالاك) الموسيقية. ستنبت زهور عبّاد

الشمس، التي نثرها موكب المشيّعين على تابوتي إلى جانب ما نثروا من قواقع وحشائش وستختال الطواويس المبهرجة وتأكل مما نثر المشيعون وتجول فوق تابوتي، فتزرع السكينة في فؤاد أبي.

- كرنفال!

سيقول أبي ويهرول أمام تابوتي المسيّج بنساء وأطفال وشيوخ يتقدمّهم بيرق الطاووس.

سيتقدّم (الگوّالون) نعشي والكرنفال، يسبقهم الكاهن (گالا ماخ). سيعزفون موسيقى تفصل الأقوال عن التراتيل، وتمنح الترددات الصوتية طاقة مستقلة. عزفٌ منفرد من دون صوت بشري غنائي أو كلامي. فصل متداخل بين الموسيقى والأقوال سينمو ويستحيل الجمع كتلة متوحّدة طينها الموسيقى والطقوس. زغاريد نسائية وأصوات تتعالى. سيصل أبي إلى تابوتي. سيحملني على ظهره وستحملنا النساء ويهتزّ الموكب وجدا من الغناء.

سيرى أبي نفسه في فضاء مكشوف للسماء فيه مذبح أو دكة تغسيل للموتى. لا زرع ولا هم يحزنون. سترحل عنه جموع الكرنفال. طريق لا نهائي معبّد برمال. في المدى اللا نهائي يلوح ضوء أسود. سيتحسّس أبي رأسه تحت وطأة الشمس. سينزلني عن ظهره. سيبحث عن وجهة بيت الله لكي يصلي على جثماني فلا يجد.

بعد طول تفكير وتدبير سيقرر أن يتبع حركة الشمس في السماء السائرة إلى مستقرّها: بيت الله. سيركّز عينيه في بؤبؤ الشمس الحارقة ويحدّق. في البدء لن تقاوم عيناه الأشعة اللاهبة لكن ببطء سيحلّ محل اللا مقاومة شيء مثل سحابة باهتة تنقشع عن قرص أصفر داكن. داخل حافات القرص جبال غامقة يؤطرها ما يشبه ضحكة صفراء ذاوية. وقبل أن يدفنني على الطريقة الأيزيدية الممزوجة بالطقوس السومرية سأسمع صوته يغني نشيد الحزب الشيوعي العراقي:

- سنمضي سنمضي إلى ما نريد وطن حر وشعب سعيد.

ثم يطلق ضحكة ملطخة بالاحتقار:

- أكبر كارثة في التاريخ أن يدفن أبٌ ابنه لا العكس.

اسم أبي هو سعدون عبد الحميد كمال الدين السفّاح.

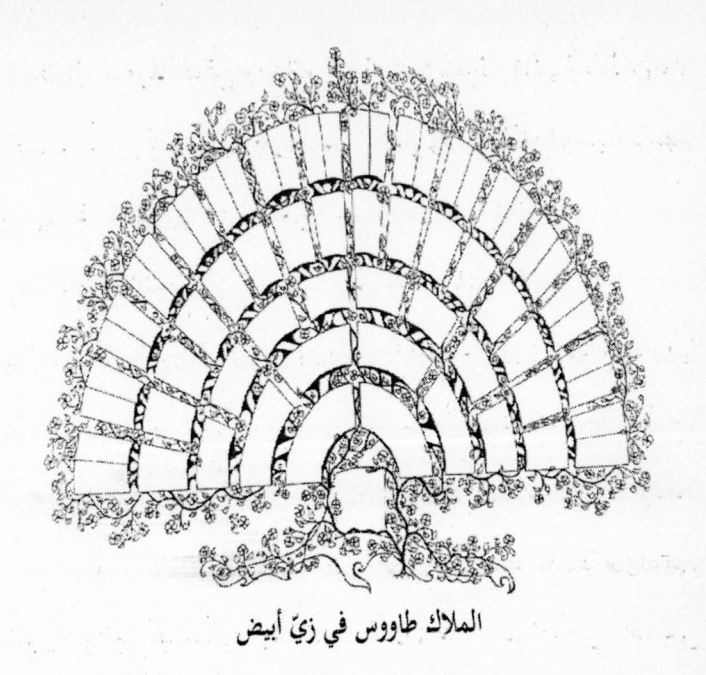

الملاك طاووس في زيّ أبيض

٭٭٭

بيد أنّ اثنتين من جنازاتي ستتخذان مسارا مختلفا في النجف وبابل.

أحفادي الكهول الذين نجوا من مذبحة أعدّها لهم الديكتاتور بمعجزة

غامضة سيقومون بالنجف بطقوس غير معهودة.

أولئك الأحفاد الذين تتراوح أعمارهم بين السبعين والتسعين عاما

سيأخذون على عاتقهم تنفيذ مراسيم دفني بشكل شبه رمزي وسيشاركهم

بعض أصدقاء دراستي في أكاديمية الفنون الجميلة.

سيذهبون إلى متعهّد الدفن وصانع التوابيت في مركز المدينة طالبين منه صناعة تابوت خاص لا يتجاوز طوله خمسة عشر سنتيمترا(!!) وسيحدجهم متعهد الدفن بنظرة من يرى حشدا من الممسوسين متسائلا:

- **ماذا أصاب السادة الأكابر؟ أتسخرون مني؟!!**

فيقول أكبرهم في المرتبة العائلية إنّهم لن يدفنوا جثماني في التابوت وإنّما قطعة من كفني ومن جسدي وهو يقصد بذلك كفّي ذات الاصبع المقطوع. وسيستعر غضب متعهد الدفن ويكاد أن يكفر بالله وبالإسلام(!!) ولكن بعد أن يدفع له أكبرهم رشوة موشاة بشروح شرعية تخصّ المحرّم والمنهى عنه والمكروه وغير المستحب وأبغض الحلال والظرف الأمني التعيس سيوافق وهو يقسم أنّ هذا (شرك بالله) مخالف لتعاليم الإسلام وأنّه سوف يصلي أربعين ركعة تكفيرا عن هذه الخطيئة، وبأعلى صوت سيلعن النقود التي استلمها منهم ومن خلق النقود كذلك:

- **لولا النقود لما أوقع إبليس البشر بالمعصية!**

وفي مقبرة (وادي السلام النجفية) سيشرع حفار قبور، غير عارف بمحتوى التابوت، بطقوس مستعجلة تناسب (جنينا) ميتا جاءت به أسرة ممسوسةٌ برفقة حشود بشرية وطلبتْ منه دفن الجثمان دون إخراجه من

التابوت. ولن يعرف أبدا أنّه كان يدفن قطعة قماش وكفًا مأخوذة من جثمان مدفون في مكان آخر.

اثنان فقط من المشاركين في طقوس الدفن الكوميدية سينظران إلى مجمل العملية من جانب آخر وهما أصدقاء دراستي ميمون سميسم وعبود العكايشي.

سيقول عبود العكايشي مجايلي في مقعد الدراسة الذي ظلّ يلتقيني حتّى يوم مقتلي:

- تأمّل! ألا تشعر وكأنّ مشهد الدفن هذا تجسيد لخاتمة فيلمه (مياه متصحّرة) التي حذفها الرقيب قبل العرض؟ لقد دفن سادن ضريح (ذي الكفل) بهذه الطريقة تقريبا! لقد ظلّ يؤكد لي حتّى يوم مقتله أن هذا الزمن لا تليق به سوى السخرية الوحشية. فتاريخ العراق يعيد نفسه تماما ولكن بشكل مهزلة دموية.

لكنّ ميمون سميسم، صديق الدراسة أيضا ونجم السينما النجفية في السبعينات سيرد:

- هذا تلاعب بكل المقدرات والأعراف!! أنت أيضا كمثل المرحوم حازم كمال الدين تفتقد لأي احترام للتقاليد والأعراف. إنّ مهزلة الدفن هذه هي استهتار ما بعده استهتار!

بيد أنّ عبود العكايشي سيرد عليه بوقار:

- أنا لا أحكي عن طقوس الدفن بحد ذاتها وإنما عن فيلمه (مياه متصحّرة). تأمل ما يحدث وقل لي بشرفك.

ألا يذكرك هذا بالمشهد الأخير الذي حذفه الرقيب وبرغبته بإعادة إنتاج الفيلم ودفن الأجزاء المشوّهة داخل صندوق مغلق؟

وستنفلت عندئذ من ميمون سميسم رشقات من الكلام:

- ما معنى هذا الهراء؟ هل تعني أنّ ما يدفنه أحفاده الآن هو الأجزاء المشوّهة من الفيلم أم سادن الضريح؟

وسيقذف بالمقدسات دون مراعاة لحرمة المقبرة قبل أن يكمل:

- عموما، أنا لا أعتبر قضية إعادة إنتاج الفيلم معالجة طليعية أو تجريبية أو مانيفست سياسي ضد مرحلة مقبورة. لقد كان الأجدر بالمرحوم أن يفكر بعواقب المقارنة بين عمله المنتج عام 1992 والحاصل على كل تلك الأوسمة والدروع وإعادة إنتاجه الآن في ظل غياب البنى

- التحتية للعمل السينمائي وتحول هذا القطاع الفني إلى قطيعٍ خالٍ من أي إحساس فني أو وطني ما عدا الإحساس بالرنين النقدي!

غير أنّ عبود العكايشي سيصدّ الهجوم وسيذكّر ميمون سميسم كيف كنتُ سينمائيا (انتحاريا) يوم صنعتُ فيلمي (الملغوم) وأسميته "مياه

متصحّرة"، وكيف صرختُ عام 1992 في صالة الاحتفالات إذ جلبوني لتسليمي أكبر وسام في الدولة أنّهم عاثوا في الفيلم وأنّي سأعيد إنتاج الفيلم (القتيل) ذات يوم. وسيضيف وهو يراقب طقوس دفن التابوت الذي يضمّ كفي وقطعة كفني:

- لقد صرّح على الملأ أنّ تقطيع أوصال الفيلم الذي قام به الرقيب وتحوير مضمونه على طريقة (لا تقربوا الصلاة) أكبر خيانة لتاريخه الفني والآيديولوجي، ولم يخف من أن يخرجوه من الصالة بالركلات إلى حبل المشنقة. لقد كبّله تزوير الفيلم بخطيئة ظنّ بأنّه لن يزيلها إلاّ بإعلان حقيقة ما حدث وإعادة إنتاج الفيلم كما كان له أن يكون. لقد كان يقول لي يوميا...

وتحت وطأة الانفعال والدفاع عني سيلعب عبود العكايشي دوري فيولول وسط حشد الأحفاد المشيعين:

- أنا موصوم بالعار!! لقد احتفظ الرقيب بالمقدمات وغيّر النتائج وحوّل فيلماً يدين الطاغية إلى فيلم يمجّده!

ووسط استهجان الأحفاد سيبالغ عبود العكايشي ظنّا أنّه سيخفف من وطأة احتجاجات أحفادي:

- **وقد أخبرني بعد سقوط الطنطل في ساحة الفردوس بسرّ لا يعرفه أحد سوى شركة أولما الألمانية. فقد قررت تلك الشركة إعادة تصوير ومونتاج الفيلم حسب رؤيا المخرج.**

وسيندفع عبود العكايشي من جديد محاكيا طريقة كلامي وحركاتي:

- **سأدخل كل المشاهد التي التهمها إخواننا مخابرات ابن الحفرة!**

***

سيكون ذلك في النجف.

أمّا في بابل فسيقام لي مأتم مجازي في (حسينية الماشطة) يحضره الأقارب ووجهاء المدينة وبعض من حضروا الدفن شبه الرمزي في مقبرة النجف. وسيكون المعزّون شيوخا يعتمر كثير منهم عمامات حديثة بعد أن خلعوا بيريّات النظام السابق. وسيبالغون بتعداد مآثري التي سيسمّيها وجيه لبس العمامة من بضع سنوات:

- **بطولات الشهيد حازم كمال الدين في ساحات النزال.. أيام حكم ابن النعال!**

وبانقضاضي على ما سيطلق عليه (مارد الجبال.. وحش الأدغال.. طنطل الأرذال!) الذي اعترضني بحسب روايته وأنا في طريقي إلى إعادة تصوير فيلمي الذي فحش به الرقيب في عهد الديكتاتور ووضع له عنوان

(مياه هائجة) بدلا عن العنوان الأصلي وقررت إعادة تصوير لقطاته المغتصبة وتصحيحه كما أردتُ له أن يكون وفي موقع التصوير القديم: منطقة ذي الكفل. وسيقعقع الوجيه المعمّم الذي تصدّر مجلس الفاتحة:

- لقد كان اختيار الشهيد البطل المرحوم (سيد) حازم كمال الدين لمنطقة الكفل لإعادة تصوير فيلمه (مياه هائجة) أسباب وجودية غير منكفئة وسارترية غير عدمية ورمزية غير دادائية تريد إعادة التقييم البنيوي لما بعد الحداثة السوريالية وهو إسهام جليل وفتح عظيم في فلسفة علم النفس الآركيولوجية!!

بيد أنّ زميل دراستي عبود العكايشي القادم من مدينة النجف لحضور مجلس الفاتحة سيردّ عليه:

- أسباب وجودية سارترية رمزية؟ ما بعد حداثة السوريالية؟ فلسفة علم النفس الآركيولوجية؟! ما هذا الضراط؟!

وسيسكت محدّقا بالحاضرين الذين بهتوا أولا من الهجوم ثم تأهبوا لتلقف قنبلة من وزن (الضراط):

- لقد كان فيلم (مياه متصحّرة) سياسياً بامتياز. أكرر أنّ اسم الفيلم الأصلي (مياه متصحّرة)، وليس (مياه هائجة)! والتصحّر هو كنية عن تحويل حضارة ما بين النهرين إلى هباء. لقد كان الفيلم أعمق من مذبحة

68

المصطلحات التي ارتكبها الأخ المعمَّم! سأذكر بضع لقطات منه لكي يعرف الحاضرون الفرق بين (الهائجة) والمتصحّرة!

وسينسى عبود العكايشي أنّه في محفل تأبيني ويسرد مشاهد من الفيلم:

- ظلام. موسيقى تسخر من أساليب الواقعية القومية التي تفتخر السينما العراقية باختراعها. من أعماق الموسيقى يظهر البطل. إنّه عالم آثار. ترتطم قدمه بصخرة في أحد بساتين منطقة (ذي الكفل). يسقط.

وسيستمر عبود العكايشي في وصف الفيلم كما لو كان في جلسة مناقشة:

- حين يقف مرة أخرى يكتشف أنّ قدمه أزاحتْ ترابا يغطي صخرة طينية تربض على فوهة بئر غامض.

في المشهد التالي يقرر عالم الآثار أن يغوص في البئر التي تقوده إلى مدخل تحت الماء. يفتح المدخل فيتضح أنّه نفق يفضي إلى بحر من الغرين يخوض فيه حتّى يجد نفسه أمام أسوار مدينة عائمة بين طبقات الطين. ما علاقة هذا بعلم النفس الآركيولوجي وإعادة التقييم البنيوي لما بعد الحداثة السوريالية؟

وسيسترسل عبود العكايشي:

- أما مسالك أسوار المدينة فتقود عالم الآثار إلى قصر ملكيّ فيه باحات وأروقة وصالونات تحجّر فيها البشر. ماذا أتذكر من ذلك الفيلم

69

البديع؟ اسمحوا لي أن أتذكّر المشهد الذي سيطر على واجهته عرش الملك وهو فارغ. فقد ظهرت في خلفيته تماثيل بيضاء تهوّم عليها أشنات ترابية وأمواج رملية كأنّها الماء. اسمحوا لي أن أتذكّر المشهد الذي يليه حيث تظهر تماثيل تطير ببطء في فضاء الرمال وأخرى مزروعة في القاع ومدفونة في الجدران وفي الأعمدة التي رفعتْ القصر.

وسيهتف إمعانا في إذلال الوجيه المعمّم:

- هل ثمة من يظنّ أنّ هذه (رمزية غير منكفئة وسارترية غير عدمية؟)

وسيدفعه صمتهم إلى الاستطراد بحماس:

- سأستفيض قليلا إذا لم يكن لدى الإخوان مانع ولديّ سبب وجيه في الاستطراد! ففي ذلك المشهد وجّه المرحوم حازم كمال الدين الانتباه إلى جدران تقود إلى ممرات وحدائق وصالونات محشوة بتماثيل منتصبة على دكات أو هائمة تطوف أنصافا فوق بحيرات تيزاب أو مدفونة حتّى المنتصف.. بيد أنّ من شاهد الفيلم لاحظ أنّ المشهد انقطع بطريقة مفاجئة لكي يعقبه مشهد يوحي بخطوط مجابهة أمامية بين الجيش العراقي والإيراني. وكأنّ التماثيل قتلى إيرانيون في ساحة الحرب بينما كان المشهد الأصلي الذي حذفه الرقيب اللوطي شيئا آخر! لقد كانت تظهر في المشهد تماثيل توحي

70

بملامح رفاق طفولة الملك، وزبائن أمّه التي ابتدأت حياتها بائعة للهوى، وزوج ابنته الذي حكم عليه بالإعدام، ورفاقه الذين تمّ قتلهم على يديه، ونساء اغتصبهنّ، ورؤساء أجهزة مخابرات كلّفهم بتعقب إخوانه وباعتقال من حاول اغتيال ابنه، وابنه الأكبر الذي ظهر بنصف بارز وآخر غائر في جدار زجاجي.

وسيلمح عبود العكايشي طأطأة رأس الوجيه المعمّم إبان تناوله شهيقا سريعا تأهبا لمغادرة المأتم وهو يكاد يشتم الوجيه المعمّم:

- بشرفي أنا لا أكذب في وصف اللقطات التي حذفها الرقيب ووضع بدلا عنها ما يمجّد حرب الطاغية! نعم! لقد كان المرحوم من الشجاعة بمكان أنّه وضع في ذلك المشهد تعليقات ساعدته بنفسي على صياغة بعضها على الرغم من معرفتي أنّها قد تتعرض للحذف وتحذيري له أنها قد تقوده إلى الإعدام. ما علاقة كل هذا بالرحلة الوجودية السارترية؟

وعلى سبيل التضامن مع الوجيه المعمّم سيقاطع الحوار صوت جهوري لأحد الحاضرين:

- رحم الله من قرأ سورة الفاتحة!

فيضطر عبود العكايشي لقطع سيل الكلام وتلاوة سورة الفاتحة.

سيقرأ وجيهان ثمانينيان سورة الفاتحة بصوت عال ثم يعيدانها ثانية وثالثة ورابعة وخامسة حتّى يجعلا من الإعادة لازمة يتعاقبان عليها حتّى لتبدو وكأنّها لن تتوقف. وبعد أن يتسبّب لهما تكرار سورة الفاتحة بالإجهاد واللهاث سينظران بحسرة إلى صورة مؤطرة لي في شبابي. وهي صورة سيظنان أنّها لأبي وذلك بالنظر للتشابه الكبير بين شكلي في شبابي وشكل أبي في شبابه. وسيأخذهما الحنين إلى أيام خوال فيشرعان بتذكّر حكاياهما مع (سيد سعدون كمال الدين السفّاح)، ذلك أنّهما كانا على قناعة تامة بأنّ المأتم يخصّه هو وسيغمزان -لحكاية ليلة عرس أبي الشهيرة وآثارها الكارثية لكنهما سيتوقفان بشكل خاص عند قصة (ذي الكفل):

- لقد أراد المرحوم (سيد) سعدون كمال الدين عام 1992 أن يبحث في موقع (ذي الكفل) الأثري فأعدمه (مشعول الصفحة)! للأسف. لقد ورّطه الفضول بالاستماع إلى سادن معبد ذي الكفل الذي أخبره بأسرار السراديب المنطبقة على المكتبات وأصنام الحجر ونوى البلح، وخاتم سليمان. لقد طلبتُ منه كثيرا أن يتوقف عن البحث وأن لا يحفر حيث أشار عليه السادن.

- الموضوع بالنسبة لي ليس في الحفر. لقد كان عليه أن لا ينقّب أصلا في موقع أمر الديكتاتور بردمه في حفر عملاقة وزرع فوقه البساتين.

- لقد كان غبيا بعض الشيء الله يرحمه! أعذرني على استخدامي لكلمة غبي ونحن في محفل تأبينه. ولكن لا يوجد توصيف آخر لشخص حاول إقناع الديكتاتور بأهمية التنقيب عن تاريخ أنبياء اليهود المسبيين من العهد البابلي.

في النفق الحلزوني..

أنا حازم كمال الدين السفّاح.

أنا الحفيد الأخير لجدّنا الأكبر حمد الحمود السفّاح والابن الوحيد

لسعدون بن عبد الحميد سليل فحل النخيل.

هل أنا الحفيد الأخير؟

وأولادي؟

أليسوا أحفاد جدّنا الأكبر حمد الحمود؟

وأولئك الذين سيدفنونني في النجف؟

النفق يرتجّ!

وقع جزمات عسكرية؟

طائرات هيليكوبتر تحط وسط الظلام الدامس؟

لطم؟

صنوج تسبق طقوس التطبير في مدينة تتحوّل بمجملها إلى ساحة عرض مسرحي؟

تراتيل مواكب تطوف حاملة شخصيات مسرحية تبدو تماثيلَ حيّة؟

سنابك خيل؟

غناءٌ وذكرٌ يقوده شيخ جليل؟

جدار النفق مقعّر ولزج.

لا أرض تمسك بي.

الأرض هي جدار مقعّرٌ أيضا.

هل هذه حشائش تلتصق بجدار الحلزون أم زغابات؟

هل ما أشعر به محيط رطب أم فضاء جاف؟

أنا حازم كمال الدين.

ينعصر النفق على نفسه ويلتف.

أختفي في أمواج متلاطمة غير قابلة للتسمية!

تتلاطمني الأمواج.

تزدردني موجة.

تقذفني في تجويف بابه مفتوحا من الجهة الشمالية كأنّ الشمس تفتحه وتدخل عند الشروق ويتقلص شعاعها كلما ارتفعت حتّى تختفي عند الزوال.

هل هو التجويف الذي زاره الصحابي عبادة بن الصامت في زمن عمر بن الخطاب؟

هل أرى عظاماً بشرية وبقايا أعمدة مخروطية بينها بئر ماء؟

إنّي أتوسّط قبورا على اليمين وعلى اليسار، بجانبي جمجمة كلب بناب واحد وأربعة أضراس وقطع نقدية مندثرة وبعض أوان فخارية.

أراني أستعير لسان أبي وأتحدث عن الآثار مثلما كان يتحدث!

لا.

أنا لا أتحدث!

إنّها صور سينمائية تعرضها شاشة هي شكل التجويف كلّه.

أنا في أقبية الماضي، أيام جدّي عبد الحميد السفّاح المحنّط المحلّق ببطء سحابة تجرّ حكاية تعود إلى ما قبل وفاته بستة أعوام، تعود إلى ذات العام الذي ولدتُ فيه.

تجويف سادس في النفق..
عقّاد النيك

لقد كان جدّي عبد الحميد علامة من علامات بابل القديمة نظرا للنسب الواصل حتى الإمام الحسين بن علي بن أبي طالب، ونظرا لانحداره من عائلة السفّاح، ونظرا لكثرة أولاده وأحفاده الذين كاد الناس أن يعجزوا عن معرفة عددهم، ونظرا للحكاية التي لم أعايشها وتتجسّد لي الآن!

قبل ولادتي بعام سيطلب جدّي يد فتاة للاقتران بأبي سعدون كمال الدين.

طفلة عمرها أحد عشر ربيعا.

سيقوم جدّي بزيارة أهل العروس الموعودة لأكثر من ثلاث مرات، ستؤدي خلالها الطفلة بتلكؤ طقوس الشاي والكعك. وسيكون غرض الزيارة الأولى طلب يد الطفلة، وسيكون غرض الثانية النيشان، والثالثة التعرف عن قرب على النسابى الجدد، والرابعة تبادل الآراء الدينية والفكرية

77

والفقهية مع النسابى الجدد، والخامسة لأجل كذا.. والسادسة لأجل ذاك.. والسابعة لأجل...

وفي ليلة الدخلة أو الزواج سيحدث الآتي:

سيرسل جدّي أبي سعدون إلى بغداد لشراء خواتم، وسيتأخر أبي ويمضي الوقت والعرس ينتظر أبي الغائب.

وما أن يستعد رجل الدين بالشروع في طقس الزواج الغيابي سأرى جدّي (سيد) عبد الحميد يتقدّم بدلا عن أبي ليعقد قران نفسه على الطفلة بدلا عن عقد قران أبي عليها!

سينقلب حفل الزواج من هرج أعراس إلى هيجان شيطاني. دوران هستيري حول مخدع الزواج لمنع جدّي من ارتكاب تلك الفعلة الشنيعة. ولن يرى جدّي في آثار تلك الصدمة الماحقة سوى طقسٍ يؤجج الشهوات و(يعضّد) طقوس الأعراس!

سيرعد رجال الطرفين ويقسمون بالقاصي والداني أنّهم سيسفحون دم الزاني، فذلك أقل ما يستوجب القيام به لغسل العار. وبعد أن يمزّق أعمامي الغضب وتشلّهم الصدمة، سينهالون على جدّي بأقذع الشتائم وسيكون أعلى السباب هو ذلك الزعيق المندلع من أبي الذي وصل بعد فوات الأوان ولم تفلح يداه بخلع باب المخدع الزوجي.

سيستدير أعمامي في ذات الوقت ليواجهوا الغضب العارم لأسرة الطفلة الذين قوّضوا في تلك الأثناء أرائك حفل الزفاف وأحالوها سلاح حرب بدائية رفسوا فيها الطاولات وجرار الماء الكبيرة والقدور فساحت ألبان وعصائر ومياه زمزم وخمور وطفا ثريد لحوم ودجاج مشوي ورز ملفوف بأوراق العنب إلى جانب تفاح وبرتقال وتمر وتين.

سيصيب النساء الهلع وتنقبض قلوبهنّ ويتعالى صراخهنّ والنواح. ستعدّد واحدة كالثكالى ظنّا أنّ ما يحدث هو من علامات الساعة. وستشتبك جدائل النساء، ويتكافشن، فتتطاير خصلات الشعور والضفائر المنفوشة وذيول الحصان وتندلع نهود فتية وأخرى عجفاء بعد أن تتمزق ملابس مبهرجة وستركض النسوة قرب مخدع الزوجية للهجوم على بعضهن البعض أو للاختباء هروبا من عيون الرجال التي أصابها حول: عين صوب معركة غسيل العار وعين صوب النساء نصف العاريات:

- طقوس الفرح!!

سيهمس جدّي في أذن الطفلة المبهوتة التي ضاع صراخها في الهرج ولم تدرك ماذا حدث ومن ذا الذي دخل عليها وهل تركها حقا أهلها لمصيرها مع العجوز الأدرد، دون أن تعرف كيف بصق أبوها بوجه الشيخ (المردشوري) الذي استأجره جدّي عبد الحميد سرّا كبديل ديني يقوم

بمراسيم عقد الزواج إذا ما رفض الشيخ المكلف بالزواج الشرعي وغادر. وقد كان الشيخ (المردشوري) الذي أطلقوا عليه لاحقا اسم (عقّاد النيك!) أخفى بدوره اثنين من عابري السبيل ودفع لهما ما يكفي ليكونا شاهدي زواج. الأوّل وكيل عن الفتاة والآخر وكيل عن جدّي (سيد) عبد الحميد، بعد أن رفض الجميع الشهادة.

سأرى أنّ الطفلة لم تعرف أنّ زوجها الموعود (أبي) غادر في نفس الليلة بيت أبيه ومدينة بابل إلى غير رجعة وهو يقسم:

-   لن أدخل بابل إلى يوم الدين!

سأراها فقط وحيدة تحدق ببقع الدماء التي تلطّخ ما بين فخذيها.

سيبقى جدّي غاضبا من أبي لعدم تقديمه التهاني بمناسبة ولادة عمي الجديد (خالد) بعد حوالي سنة وفي ذات العام الذي ولدتُ فيه أنا.

سأرى كيف تخاطر أم الفتاة التي منعتها أسرتها من زيارة ابنتها بالتسلل ذاهبة إلى تلك الطفلة لتعلّمها أصول الحمل، وسأسمعها تضحك سرّا، رغم قنوطها العميق، من مرأى طفلة تنتفخ بطريقة كاريكاتورية.

ستشكو الطفلة من ألم خلفي وستنتابها حالات تقيؤ تبدأ ما أن تهوّم حولها رائحة حساء العدس أو وجبة الطعام الشعبية الشهيرة (الپاچـه).

وستردّد أمّها على مسامعها دون كلل بأنّ تحجر بطنها لا يعود للإمساك، أو أنّ التقيؤ المستمر لا يعني التهاب الأمعاء، أو أنّ الغثيان من مرأى اللحم والثريد ليس كفرا بنعمة الله، أو أنّ الاشتياق إلى رأس بصل أخضر ليس سوى عرضٍ من أعراض الوحام، أو أن تصرخ بها من يأس:

- **لا يوجد لديك ذيل يكبر فوق مؤخرتك. كفّي عن هذا! إن هو إلاّ توسّع مفاصل يدفع الفقرات العجزية إلى الخارج.**

وستحاول إرشادها إلى كيفية الإصغاء إلى الجنين في الرحم، وإلى كيفية التوفيق بين حركتها ووضعية الجنين، وإلى كيفية تجنب الحركات المفاجئة وضرورة التوقف عن عبور السواقي قفزا، ومواجهة آلام المخاض، وطريقة التنفس من البطن لحظة الطلق وإرخاء عضلات الفخذين، وإلى ضرورة إطالة الزفير إذا استراح المخاض، وكيف عليها أن تدفع الحجاب الحاجز إلى الأسفل وتصوب نظرها إلى الموضع الذي سيسقط فيه الوليد... وسأرى كيف تتبخر تلك النصائح ما أن تحين ساعة المخاض.

سيداهم الطفلة الطلق وستشدّ وركها بيديها ظنّا أنّه سيتحطم، وسيصاب فخذها الأيسر بالتشنّج وستحسّ أنّ كائنا خرافيا أطبق على الفخذ بفكيّن حديديين، فتقفز إلى الباب هربا من عفريت حطّ في بطنها وشرع بتمزيقها، وستدفن نفسها في حضن أمّها حينا بحثاً عن خلاص من

عقاب كوني تظنّ أنّه حقّ عليها، وستتلفّع بالمناشف حينا آخر متوهمة أنّ ثمّة من رماها بسطل ماء كبير بلّل ملابسها، وستظنّ أخيرا أنها تبوّلت على نفسها فتستغيث بخجل وستشعر أنّ كارثة تمزّق فرجها وتسقط، وأن ثمّة شيء يربطها بالكارثة التي شلختها نصفين.

سترتعد الطفلة من مرأى كائن ملطّخ بالدم والمخاط إلى جانبه كومة لحم أحمر مبهم مشدود إلى حبل يشبه حبال تسلّق النخيل، فتحاول أن تفرّ من براثن القابلة، لولا أن عمّتها ستمسك بتلابيبها وتتلقّف أمّها الوليد في الأحضان وسترتعد سماء الغرفة من شدّة الزغاريد ومن صيحة أمّها:

- **ولد! ولد! إنّه ولد!**

وسيصيح جدّي من وراء جدران غرفة الولادة:

- **أسميته خالد!!**

بينما سترحل الزوجة الطفلة في أحضان غيبوبة لذيذة.

سأرى تلك الطفلة، التي كان ينبغي أن تكون أمي لو تزوجها أبي، تتعامل مع وليدها كما تتعامل مع دميتها القديمة قبل الزواج. ستخلع عنه القماط وتدحرجه على بلاطات صالون البيت وترمي إلى جانبه دمية كبيرة قامت بحياكتها جدّتها قبل سنتين من عمودين متصالبين يختفيان في كومة خرق وشعر ثور وريش طاووس.

وإذا ما تحركت يد عمّي (خالد) أثناء النوم ستتقاذف ساعداه يمينا ويسارا حتّى يفزّ عمّي وهو يصرخ وتتشنّج عضلات بطنه وستضغط أمه على صدره لتخرج الصفير، كما ستسمّيه، ثمّ تراقب كيف تتغير ألحان الصرخات.

في النفق الحلزوني

يلتف التجويف على نفسه مرة أخرى فتأخذني سِنَةٌ من الأمواج!

تعيدني غياهبها إلى الحيّ الذي عاش ومات فيه جدّي عبد الحميد.

وكأنّ الأمواج تكرّر ما فعلتْه بي قبل قليل!

تجويف سابع

الحرب الصغيرة

مات الجدّ عبد الحميد كمال الدين السفّاح بعد خمس سنوات من ذلك التاريخ فلم يجد من يدفنه في بابل. لم يتجرأ وجهاء بابل على دفنه بدون حضور أسرته وتوابعها، وأبى أن يقوم بمراسيم الدفن إخوانه وأبناؤه وأبناء عمومته وأجداده وأحفاده صغارهم وكبارهم.

ظلّ جثمان عبد الحميد كمال الدين مسجّى في حديقة المنزل تحت ظلال نخلة وارفة يرميه ابنه الأصغر (خالد) بتمرة ويحسر عنه الكفن، وكان شرشفا أزرقَ داكنا، ليلومه على صمته طوال اليوم. بينما كانت الطفلة الأم تشيخ بسرعة وهي تقرفص مرعوبة بانتظار انبثاق معجزة إخراج الميت من حديقة المنزل إلى بيت الظلام.

بعد أن هوّمتْ روائح الجثة على أرجاء الحيّ وضجّ الناس بالشكوى قرّرت العائلة إنابة أصغر أبنائه البالغ من العمر خمس سنوات لدفنه. فحضر

وجهاء بابل كما يليق وتأهبوا لنقل الجثمان لكنّ ابنه خالد رفض أن يُزَحزحوه، مما اضطر أعيان بابل لطاعة الطفل المسؤول عن مراسيم الجنازة.

لم يحركوا الجثمان المتحلّل، ولم يغطوا الوجه، بل ثبّتوا غطاء التابوت على الأرض ثم سجّوه عليه وقلبوا التابوت وسمّروه فوق الغطاء وفقا لتعليمات الطفل الذي خشي اختناق الأب إذا ما حُشر في ذلك الصندوق الضيّق!

غادر الموكب الجنائزي البيت يتقدمه الطفل، وما أن شارف على الوصول إلى نهاية الزقاق حتّى حرن، فاضطرّ الموكب للتوقف. صوّب بصره إلى الرجال فرآهم ينتظرون منه إشارة. فما كان منه إلاّ أن هرع إلى زقاق بائع الحلوى المعاكس لاتجاه الزقاق المؤدي إلى مغسل الموتى.

أصابتْ الرجال الحيرة ثم استداروا بعد هنيهة والجنازة على أكتفاهم إلى حيث هرع الطفل.

هجم خالد على دكان بائع الحلوى، فطالعه صاحب الدكان البدين المتجمّع حول نفسه كعقدة لسان منتفخة بين شفتين إلى جانبه نجله متكِئ على عربة حافلة بالحلوى. سال لعاب الطفل إذ رأى حلوى (شعر البنات المتدلي) الملوّن، واللوزينة، والساهون، والعلوك، والأدراج ذات الحلقوم. سحرته نقوش العربة التي ذكّرته بصندوق جدّته العامر بالحلوى المخبَّأة. تذكّر عطانة شعر بنات عمّته وقارنه بشعر البنات اللذيذ في العربة.

رصد (الدعبلّة) الكبيرة التي كان انتزعها منه نجل صاحب الدكان أثناء اللعب. وكانت الدعبلّة تستريح على الأرض. التقط نجل صاحب الدكان الدعبلة وهرب ما أن رأى الحشد، فطارده خالد واشتبك الطفلان.

تدخّل بعض رجال الموكب ليفكوا الاشتباك.

صرخ الطفلان واستنجد كلٌّ بأبيه.

انتزع خالد الدعبلة من يد غريمه المأخوذ بالحشد وهرع إلى التابوت قافزا فوق الرجال في محاولة لانتزاع الغطاء. بذل صاحب الدكان جهدا جبارا ليقف بسبب سمنته المفرطة، لكن حينما طالعته جنازة يمتطيها طفل أمام فوهة الدكان حلّتْ عليه قوة مفاجئة فقفز كصخرة منجنيق إلى زاوية قصيّة مشيحاً بوجهه وهو يبسمل ويحوقل. لكنّ خالداً منع موكب الجنازة من المغادرة حتّى أنزلوه من التابوت واقتطع قبضة من شعر البنات دسّها في فمه. بعدها راح يركض جذلا في مقدمة الموكب الجنائزي.

هكذا طافت أزقة الحي جنازة يتقدمها طفل راقص محتفل باسترداد الدعبلة.

في (حسينية الماشطة)، في اليوم الثالث للمأتم بدأتْ تنتاب الطفل نوبات من الضحك كلّما سمع المعزّين يبسملون ويحوقلون، وصار يبكي إذا دعوه إلى الطعام أو تحدثوا أمامه عن لذة لحم الخروف المشوي. ذلك أنّ تلك

الأحاديث كانت تذكره كيف تسبّبتْ له إلية الخروف المشوي بإسهال حاد وكيف تغوّط على نفسه إذ كان يتوسط عشاء المأتم في الليلة الأولى.

في النفق الحلزوني..

أنا حازم كمال الدين السفاح!

ما كان على والدة عمّي خالد أن تتزوج جدّي وما كان على خالد أن يولد

من رحمها!

أنا من كان يستحق الخروج من أحشاء تلك الأم ومن كان عليه أن

يحذف قصة خيانة الأب قبل أن تحدث أصلا.

لكن.. هل أنا في النفق أم في أحد تجاويفه؟

لماذا تختلط الأمور عليّ وقد كانت قبل لحظات مجسّمة متماسكة؟ هل عليّ

التصديق بأنّي في نفق الموت الذي كتب عنه الطبيب الهولندي بيم فان لوممل

وتُرجم للعربية Pim van Lommel وسخرتُ مما كتبه، أم أنّ ذلك

الطبيب العجيب لم يكذب يوم أكّد أنّ تجربة النفق هي خروجٌ للروح من

الجسد ولقاءٌ لها مع أرواح أخرى واسقبالٌ لمعلوماتٍ لم تكن معروفة في

الحياة؟

وهل ما يجري لي الآن أحداث حقيقية أم هلوسات وكوابيس؟

إنّني على يقين من أنّ ما يحدث هو موت فعلي ولا سبيل لي للعودة إلى الحياة، لكنني على يقين أيضاً بأنّني لستُ ميتاً وأنّني سأعود إلى بدني، وما هذه التجربة إلا رسالة هلوساتية تريد أن تدفعني للتراجع عن إلحادي حين أستيقظُ من حالة فقدان الوعي!

ما كلّ هذا الهراء يا حازم بن كمال الدين السفّاح؟

ميتٌ أنا أم لستُ ميتاً؟!

لقد خمدتْ أعضاء جسدي تماما بعد أن استحالتْ أشلاءً، ولقد شاهدتُها بنفسي تدخل الهدأة الأخيرة بينما أنا أطفو بعيداً عن موقع المقتلة.

لقد مكَثَتْ أشلائي هناك بينما أنا أحلّق فوق تلك الفوضى وذلك الهرج اللذين اتّسما بهجعة تناقض الكارثة!

ما معنى ما أقول الآن؟

إنّني أقول أشياءَ لا أفقه منها ولو مثقال ذرّة!

ما معنى (تلك الفوضى وذلك الهرج)؟

في الحقيقة قبل ذلك سيعتقلني الحرس الوطني!

هذا هو الواقع وهكذا ستكون بداية النهاية...

النفق باعتباره تجويفا؟

سيعتقلني الحرس الوطني بسبب التغيّر المباغت لطبائع حياتي.

بلا مقدمات سأقلعُ عن تناول المشروبات الكحولية وملحقاتها، وسيأخذ وزني بالتناقص السريع حتّى أبدو كمن أخضع نفسه لتدريبات رياضية قاسية. سأطلقُ لحيتي فتنضح من ثنايا وجهي غابة شيب كانت قبلا تخضع لنظام حلاقة يومية قاسية، وستبرزُ لحواشي وجهي كاريزما سينمائية أو هالة نورانية كما يحبّ أن يسمّيها أصدقائي. ستأخذ قدرتي على النظر بالتراجع كما لو إنّي انهمكتُ بقراءة كتب الله وتفاسيرها دون هوادة. إذا ما جالستُ الأصدقاء في بار اتحاد الأدباء سيستعصي عليّ أن أمنع نفسي من الذهاب إلى دورة المياه كل نصف ساعة تقريبا.

- وكأنّه يتوضأ!

سيستغيبني صديقي عبود العكايشي بسخرية تصل مسامعي وأنا في دورة المياه. وكلما أعودُ من هناك سأشعرُ بعطش فاحش وسأطلبُ قنينة ماء غير مفتوحة:

- **وكأنّه يبحث عن الطهارة!**

سيعلّق مرة أخرى صديقي عبود العكايشي لعلّي أبادر بإطلاق نكتة تناسب إقلاعي اللاّ معقول عن تناول الكحول.

لكنّ بصري سيبقى زائغا، من خلف عويناتي الطبيّة السميكة الجديدة، كأنّ هناك من يلاحقني. ستنبثق عضلاتي بغتةً من تثنيات قميصي الشبيه بجلابية وكأنّني أستعد لمعركة. وفي كلّ مرة تبدو فيها عليّ علامات التوتر العضلي ستنبعثُ من فمي رائحة فاكهة...

ستكون تلك أسبابا كافية لكي يرى فيّ مخبرو الحرس الوطني رجلا يتحوّل فكريا من العلمانية إلى التعصب الإسلامي!

وإذ أنا في دورة المياه الملاصقة لغرفة إدارة نادي اتحاد الأدباء سأسمعُ نقاشا محتدما بين رجال الحرس الوطني (الشعبة الاستخباراتية). وفي ذلك الحديث سيقول أحد المخبرين:

- ما يؤكد لي تحوّله هو إقلاعه عن عبّ الكحول بعد أن كان قنينة عرق جالسة على كرسي. وما يؤكد لي أكثر كونه لم يترك ارتياد اتحاد الأدباء. الأوضح في هذا كونه استبدل خفة الدم بالصمت.

وسيجيبه آخر:

- كلامك صحيح مائة بالمائة! لديّ معلومات أيضا عن اليوم الأخير الذي طوّح به الخمر! فبعد أن أدخل في جوفه كمية خرافية من العرق اضطر جدّه الثالث من ناحية أمّه المدعو الشيخ هجول التكريتي إلى نقله إلى غرفة الإنعاش في المستشفى. لقد أخبرتني ممرضة الإنعاش أنّ الشيخ هجول قرأ في أذنه أدعية وتعاويذ سحرية ورشّ بخورا وحرملا ثمّ مصّ لسانه وظلّ يمصّه حتّى ارتعد حازم كمال الدين وثاب لرشده وهبّ منتصبا وخلع الأجهزة الطبيّة كأنّه لم يكن على شفا حفرة من الموت.. بعد تلك الصحوة المفاجئة بأيام صارتْ دوريتي تعثر في مزابل ساحة الأندلس على جثث بلا رأس. وكان ذلك يحدث دائما بعد منتصف الليل بعد خروجه من بار اتحاد الأدباء وبالقرب من المكان الذي يقف فيه منتظرا تاكسيا يقلّه إلى البيت.

لكنّ ثالثاً سيطرح تساؤلا:

- أتقصد أنّه مسؤول أيضا عن الرؤوس التي وجدناها مؤخرا مصفوفة بين أكوام الرقي على الجانب الثاني من ساحة الأندلس؟!

فيردّ الأول:

- **طبعا أخي. لقد أصبح زرقاويا!**

ويعضّده الثاني:

- **أكيد أخي! إنّ اسمه السفّاح وشجرة عائلة أمّه مزروعة في تكريت وفي الظروف التي تتعرّض لها تكريت الآن يضطرّ المواطنون إلى اللجوء للزرقاوي.**

فيحتجّ الثالث:

- **هل تعني أنّنا طائفيين؟.. أخي احفظ لسانك!**

إنّهم يظنّون أنّني أُصبتُ بلوثة الإيمان وارتفعت في رأسي غيرة مقاومة الاحتلال فصرتُ مجاهدا في صفوف الزرقاوي وطفقتُ أعمل مع ضباط قدامى ورجال مخابرات عتاة من عهد الطاغية وتجار أو مدمني مخدرات لبسوا كوفيّات وتمكيجوا بلحى تتشبّه بلحية بابا نوئيل مع فارق اللون والطول والتسريحة، وارتدتْ نساؤهم النقاب ككاهنات پازوليني الشهيرات.

وسيقدّمون لبعضهم البعض برهانا سيصيبني بإمساك لا هوادة فيه:

- بحسب المعلومات الواردة فقد تحوّل جدّه الثالث من ناحية أمّه الشيخ هجول التكريتي من مهنة عقيد في الأمن الخاص في عهد النظام السابق إلى شيخ جامع في منطقة أبو غريب بعد السقوط.

هذا وسيظهر جدّي من ناحية أمّي الشيخ هجول التكريتي بالفعل في اليوم الأخير الذي سأعبُّ فيه خمرا كالجائع جوع الغريق إلى الهواء، وسيكون مرتديا تحت زيّ شيخ الجامع ملابس رياضية تناسب قتال حرب العصابات.

وجدّي هذا في الحقيقة هو ليس جدّي المباشر، بل هو جدّ أمّي رغم أنّه من جيلي العمري ويصغر أمّي بثلاثين عاما. أمرٌ يشبه تماما شجرة عائلة أبي!

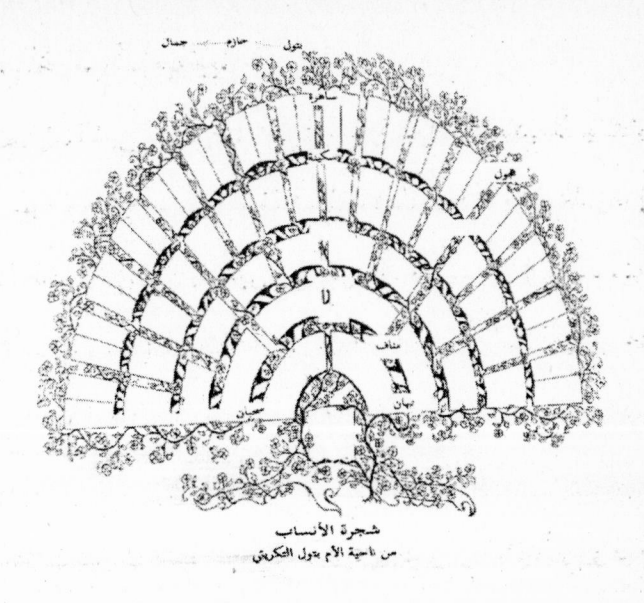

شجرة الأنساب
من ناحية الأم بتول التكريتي

سيأتي جدّي الشيخ هجول التكريتي من منطقة أبو غريب إلى بار اتحاد الأدباء بحثا عني فيُسقط منظره ظلالا وارفة من الشكّ وسط السكارى والمخبرين. وحين يعتعتني الثمل حتى حدود الإغماء والتخشّب سيرتفع حديث السكارى المكحّل بالكلمات الملغّزة عن تاريخ جدّي وسينتابه الغضب ويخلع شريط كوفيّته وعقاله صانعا منهما ما يشبه مقعد تسلّق النخيل. أي أنّه سيحوّل الزيّ العربيّ إلى ما يشبه أداة (التبلية) التي يستخدمها متسلقو النخيل في العراق. سيربطني بـ (التبلية) مثلما يربط شخص نفسه إلى نخلة ثمّ يحملني على ظهره ويغادر بار اتحاد الأدباء مشيا على الأقدام إلى المستشفى.

تلك هي آخر مرة أشرب فيها الخمر.

أنا حازم كمال الدين الشهير بأفلامي اليسارية اللمّاحة المعادية للديكتاتور والبعث والمعروف بأنّي أسهر كل ليلة في حانة اتحاد الأدباء ولا أغادرها إلاّ محشورا في تاكسي أو في عربة صديق عزيز أو على متن سيارة إسعاف تنتهي بي في مستشفى الطوارئ حيث غسيل المعدة وحقنة الانسولين أو علبة الكوكا كولا أو قبضة السكّر القابل للالتهام... أقول أنا حازم كمال الدين الشهير لن أسلم منهم!

سيستخدمون ظهور الشيخ هجول التكريتي جدّي الثالث لأمي والعقيد السابق في الأمن الخاص المتحول من عقيد أمن إلى شيخ جامع ويستخدمون إقلاعي عن تناول الكحول برهانا على تحوّلي إلى أصولي من جماعة الزرقاوي.

لذلك سيعتقلوني في قلعة (أبو زعبل) ولن يصدقوا أبدا أنّني تركت الكحول التزاما بنصائح الطبيب المناوب في مستشفى الطوارئ الذي خيّرني بين الإقلاع عن معاقرة الكحول أو الموت في واحدة من النوبات التي تداهمني بسبب مرض السكري الذي يكاد أن يقضي على پنكرياسي قضاءً مبرما.

في النفق الحلزوني..

أنا حازم كمال الدين السفّاح، أدور حول نفسي وكأنّي قطعة قماش في غسالة كهربائية.

هل أنا في تجويف جديد أم في النفق؟

أسمع صوت فيروز يصدح صباحا؟

قبضة من الكمنجات؟

جمع من الإيقاعات؟

دفوف كأنّها كلام، وكمنجات كأنّها توطئة للكلام؟

هل هذا غناءٌ أم ماء قراح؟

هل يردد جدار النفق أغنية (دخلك يا طير الوروار. دخلك من صوب المشوار. سلّم لي عَ الحبايب)؟

أنا لستُ واهما.

إنّني أسمع جوقة غنائية.

قرار، جواب.

جواب عالٍ.

لحن سريع راقص أو بالأحرى طائر.

إيقاع خلفي ولحن يقودني دون أن أعي إلى التطهّر.

رائحة عطور في زاوية سوبر ماركت.

عطر مهيّج جنسيا لا يتناسب مع تصوّف وتطهّر فيروز.

لاشكّ أنّه عطر فهرنهايت الشهير.

لا.

ربما عطر GIVENCHY الخاص بتهييج أمواج ما قبل الزواج.

تخطف ناظري قارورة فضية أو ذهبية شبيهة بامرأة عارية سعرها يتراوح بين 100 و120 دولاراً مكتوب عليها EAU DE TOILETTE. هذا العطر منتشر في أسواق مدينة المنصور وفي حي الخضراء و (سوق مريدي) وغالباً ما يتوفر في عبّوة من 50 ميل غرام وهو مستورد عن طريق شركات إيطالية وفرنسية مثل كريستانديور.

ذلك العطر!

تلك الرائحة!

نعم تلك الرائحة هي من يستحضر فيروز وأنا في مهبّ الحلزون.

فما أن أشمّها حتّى أسمع صوتها وتسحقُ أنفي قبضة الجلاد الفولاذية وتحيله إلى حبّة طماطم مفعوصة.

آه.

أنا لستُ في النفق.

أنا في أحد تجاويفه المستترة مكبّلٌ بذكريات، (قلعة أبو زعبل).

ذكريات يحكيها صوت صديقي وقريني الذي يحتلّ موقع جدّ أبي في تسلسل شجرة الأنساب، صوت (جديدو) الذي نضح وأخذ بيدي إلى أقبية تلك القلعة.

هل هو (جديدو) حقا؟

نبراته أثيرة لنفسي رغم أنّنا في تجويف (قلعة أبو زعبل).

تجويف سابع في النفق الحلزوني..

أبو زعبل

لقد نال ابن حفيدي الأعز نصيبه في معقتل (قلعة أبو زعبل) كأيّ معتقل سياسي، مع إضافة غريبة:

ففي تلك القلعة التابعة للحكومة كان المدير المسؤول متيقنا أنّ حازم كمال الدين سيستحيل عقربا عملاقا عندما ينتصف الليل وأنّه سيقضم حناجر من يحيط به، مستندا بذلك الاعتقاد إلى خرافة القصة الشهيرة عن فتاة الأعظمية التي قيل إنّها تحوّلتْ عند منتصف الليل إلى عقرباء عملاقة وقضمت حنجرة الشاب المسيحي ثم تزوجها جدّه عبد الحميد وأنجب منها عمّه خالداً. وكان مدير القلعة يرى في التثبت من وجود (ذيل) لحازم دليلا ماديا على (جريمة) تحوّله من المذهب الشيعي إلى المذهب السنّي. فالسنّي أو من يلتحق بالمذهب السنّي ينبتُ له دائما ذيل، أو هكذا سادتْ المعتقدات الشعبية التي يعتبرها مدير القلعة من المسلّمات.

تحت سطوة الإيمان المطلق بقصة الفتاة العقرب وخرافة الذيل السنّي أمر مدير قلعة (أبو زعبل) بوضع حازم في زنزانة (أخطر كلاب الإرهاب) ليضمن مذبحة للمعتقلين لا تكون له يد فيها بل ستكون من مسؤولية حازم الذي سيتحوّل إلى عقرب عملاق ويقضم الحناجر ويجوّف المعتقلين ويحوّلهم إلى أحصنة طروادة بشرية تأكل بعضها البعض.

وفي اليوم الرابع حينما لم تحدث المذبحة المنتظرة ولم يتحوّل أي معتقل إلى حصان طروادة بشريّ ظنّ مدير قلعة (أبو زعبل) أنّ حازماً قد تآمر مع المعتقلين ضدّه، أو أنّ المعتقلين صاروا عبيدا يطيعونه بعد أن قضم حناجرهم وجوّفهم. فجلب معتقلا من زنزانة أخرى ووعده بالحماية عند منتصف الليل وبإلغاء التعذيب عنه لقاء تقارير (دسمة) يتثبّتُ فيها من تحوّلات ابن حفيدي من إنسان إلى عقرب عملاق.

ولّما فشل المعتقل في كتابة أيّ تقرير عن تحوّلات حازم إلى عقرب فَقَدَ مدير القلعة الثقة بأسلوب شراء المعتقلين وقرّر الكشف بنفسه عن مؤخرة ابن حفيدي عند انتصاف الليل لكي يقطع الشك باليقين من جهة ولكي يقطع شوكة السمّ من جهة أخرى. وحين أمر بتعريته تحت الحراسة المشدّدة وانكشفت عجيزته بلا ذيل ولا شوكة سمّ طلب الشرطي الذي أزاح عن حازم ملابسه موافقة مدير القلعة على أن يغتصب ابن حفيدي وبرّر الطلب

بأنّه لم يعاشر زوجته منذ فترة. بيد أنّ المدير رشقه ببصقة عريضة على وجهه، ليس بسبب طلب الشرطي اللا أخلاقي وإنّما لأنّ المدير لم يجد الذيل الذي كان يبحث عنه!

نقل الحرس الوطني حازماً إلى زنزانة عادية في قلعة (أبو زعبل) وصار رقما كالآخرين.

قلعة أبو زعبل هي سجن مزدحم بأعمال فنية رخيصة معلّقة أو مرسومة على الجدران. اللوحات التي ساد الاعتقاد أنّ لها قيمة مالية كبيرة اختفتْ ولم يبق منها سوى أثر خلفي له بعض ظلال الأصل. أما اللوحات الأخرى فقد برقعها الغبار أو الدخان أو سخام الحرائق أو غير ذلك مما يمكن تخيّله في بلد لا يعرف سوى الحروب.

والقلعة هذه كانت في الأصل قصرا تسكنه إحدى بنات الديكتاتور أعادت تأهيله وزارة الداخلية وأحاطته بجدران كونكريتية وأطلقتْ عليه اسم (قلعة أبو زعبل)، وعلى النزلاء اسم (كلاب الإرهاب) وعلى مدير القلعة (الجنرال).

مدير القلعة الجديد أو جنرال قلعة (أبو زعبل) هو سامح الغرّواي. وقد كان يحمل في الأصل اسم (حسام العزّاوي) لكنّه تلاعب بترتيب الحروف وبعض النقاط فتغيّر اسمه إلى (سامح الغرّواي) تمويها لفضيحة مالية وأمنية

كبرى وزوغانا من أمر اعتقال صادر باسمه لأنّه كان يقبض رواتب 500 موظف وهمي معيّن بصفة منتسب إلى وزارة الداخلية، وهو موظف وهمي أطلق عليه العراقيون تسمية الموظف الفضائي.

كان يقطن في قلعة (أبو زعبل) إلى جانب الجنرال سامح الغرّواي نوعان من البشر: الأول قاطنون يرتادون الغرف الخلفية لكنّ مقرّهم يقع في الغرف الأمامية، وهم سجانون وجلادون وطباخون. والنوع الثاني نزلاء (أبديّون) للغرف الخلفية، وهم مكدسون فوق بعضهم البعض في الغرف التي سمّيت زنازين بعد أن تعرّضت شبابيكها وأبوابها إلى الخلع والاستبدال بقضبان ذات أقفال كبيرة.

قلعة (أبو زعبل) كانتْ في واقع الحال بيتا للموتى منذ قديم الزمان. فإذا استثنيت السنوات التي قضتها فيه ابنة الديكتاتور، فهي ليست سوى امتدادٍ عضويٍّ لسجن (ساحة النسور) الذي كان بدوره وريثا لمعتقل اسمه (قصر النهاية) أقيمت فيه إبان الحكم البائد حفلات قتل وتعذيب تقليدية وتجريبية وما بعد حداثية.

كان في قلعة (أبو زعبل) أكثر من 170 معتقلاً. ما أن يموت أحدهم حتّى تحطّ جثته في مشرحة الطب العدلي. وفي العادة تصل مثل تلك الجثث مشوّهة إلى درجةٍ يستحيل فيها حتّى على ذوي القتيل التعرّف على هويته.

مثلا (شيش الگص) أو ما يُعرف بالشاورما هو اسم لمعتقل أحيل لما يشبه كتل اللحم المتكدسة التي توضع في سيخ الشاورما بعد أن قصقصوا عنه أطرافه والرأس. أو ما أطلق عليه اسم (أبو گروه)، وهو معتوه مجهول الاسم كُبّل جذعه بأمعائه بعد أن انتزعت من الأحشاء وقد أصاب منظره أحد حراس مشرحة الطب العدلي بالجنون. أو ما عُرف باسم (يهوذا) الذي كان جثة لمسيحي تُرك وجهه متفحما تماما بعدما وُضع على شواية لحوم (باربكيو) تعمل بالمروحة والفحم.

وهذه بالطبع لم تكن ممارسات قلعة أبو زعبل فقط وإنّما ظاهرة دفعت أهالي بغداد إلى اتخاذ شتى أنواع الاحتياط. فأجبر البعض أفراد أسرته على الكشف عن العلامات الفارقة في أجسادهم وتصويرها، تحسباً لأي طارئ. ومن لم تكن لديه علامة فارقة مورستْ بحقه الضغوط لكي يضع علامة أو يكتب اسمه باستخدام تقنية الوشم في مناطق غير ظاهرة من الجسد وهي ذات الطريقة التي اعتمدها العراقيون خلال حروب الديكتاتور المنسية ليسهل التعرف إلى جثثهم إذا تعرضوا للاحتراق.

شخص واحد كان بعيدا عن كل تلك الكوارث في قلعة أبو زعبل. طفلٌ اسمه (هدهد الأهوار)، وكان سجينا أو شيئا آخر اتخذ لنفسه مخبأ سرّيا لا يعرف بوجوده السجانون.

طفل عمره خمس سنوات.

وجهه مشعّ كالقمر.

جبينه عريض.

عيناه تبرقان.

في خدّه الأَيمن خال، وفي رأسه ذؤابة.

وبسبب جهل السجانين بالقلعة وبالتفريق بين الرسوم وأصباغ الحائط، استطاع الطفل أن يفلت من قبضتهم ويطبق المخبأ السرّي على نفسه مستفيدا من لوحة زيتية كبيرة معلقة على البوابة الصغيرة. إذ لم يدرك السجانون أنّها لوحة، بل ظنّوها صبغا على الجدار. ثمّة شق في اللوحة فات السجانين أيضا، وهو شق مموّه تصدر منه في منتصف الليالي أصوات مبهمة أحالت معتقلي تلك الزنزانة إلى شتى التأويلات الدينية. شقّ ينضح منه أحيانا شعاع نور (إلهي). وبتقادم الزمن وديمومة المعتقلين صار بعضهم يرمي طعاما لما يظنّه روح وليّ من أولياء الله حطّتْ هناك لتسهر عليه. وعندما تدبّ الفوضى ويشتعل الصخب في الزنزانات الأخرى وينشغل السجانون بحفلات ضرب وتعنيف المعتقلين ينشط تهامس نزلاء تلك الزنزانة ويحمي وطيسه كلما ارتفع منسوب صخب السجانين والمعتقلين في الزنزانات الأخرى. عندها يهرع نزلاء الزنزانة التي كان فيها ابن حفيدي

الأعز إلى الشق المموّه في اللوحة، فيرمون فيه ما تيسّر من النذور ويخرّون ساجدين أمام اللوحة المكوّنة من بساط ريح وراكب في يده درع وهم يلهجون بالأدعية:

- بسم الله الرحمن الرحيم!.. يا من هو أقرب إليّ من حبل الوريد، يا فعالا لما يريد، يا من يحول بين المرء وفؤاده، يا من هو بالمنظر الأعلى، يا من ليس كمثله شيء، دع هذه الليلة تنقضي بسلام عليّ وعلى الأنام والصبح ينجلي على وئام....

لقد التقى ابن حفيدي الأعز بـ (هدهد الأهوار) بعد استراحة من وجبة تعذيب شنيعة سبقها حجز في (الهولوكوست) الرابض في الحديقة الخلفية للقلعة. والهولوكوست هو حاوية حديدية عملاقة يُحشر فيه صيفا معتقلون لا يعترفون بما ينبغي أن يعترفوا به وتوصد عليهم لمدة ستة أيام ولا يقترب من الحاوية أيّ شخص.

لا طعام هناك ولا شراب.

لا شيء سوى تحوّل أمنية إطلاق السراح إلى رغبة جامحة بالوصول إلى الموت. فمن يلقى حتفه هناك يتخلّص أخيرا من سعير معتم يموت فيه حتّى الهواء. أما أولئك الذين لا توافيهم المنية فعليهم أن يتدبّروا أمرهم لكي يبقوا على قيد الحياة كأن يستخدموا جثث زملائهم أفرشة وأغطية

107

وسجاجيد تفاديا لملامسة أجسادهم لحرارة الحاوية الحديدية الخرافية أو أن يضطروا إلى أن يأكلوا من لحم الجثث المحيطة بهم مستعينين بما جاء في الآية القرآنية (فَمَنِ اضْطُرَّ غَيْرَ بَاغٍ وَلَا عَادٍ فَلَا إِثْمَ عَلَيْهِ).

حُشر ابن حفيدي في تلك الحاوية الحديدية مع العشرات. وحين فُتح الباب في اليوم السادس كان قد مات الكثيرون، أما من تبقى فأخضع لاستجواب مباشر أو قتل في ذات المكان.

بعد أن أعاده السجانون من وجبة التعذيب دحرجوه في الزنزانة ككرة قدم خالية من الهواء. طاف ابن حفيدي في الظلمة مترنحا متعثّرا بالمعتقلين المكبوسين فوق بعضهم البعض، ورماه ترنّحه ذات لحظة على اللوحة التي انزاحت وكشفتْ عن باب موارب.

أمعن النظر بفراغ فتحة الباب وانسلّ إلى الداخل.

درجات سلّم متهاوٍ تقود إلى الأسفل.

هبط السلم.

أمامه باب سميك يشبه باب تسجيلات الصوت في الاستوديوهات السينمائية.

فتحه ودخل:

-   حضارة مدفونة؟!!

قال لنفسه وهو يرى ما يرى:

- هذه أشياء لا يحلم بها بشر. إنّه مكان يشبه متحف شمع. خيال فولكلوري بدوي. سرج بعير. سرير في هيئة قربة. حمّام في شكل كمثرى. كرسي كأسد قتيل. طاولة زجاجية أرجلها أجساد رجال. أوانٍ ذهبية.

انهار فجأةً وناح نواح الثكلى.

أحسّ وكأنّه حلّق خارج السجن أو أنّه دلف جنّة يخفيها قلب السجن. ندب حظّه وبان عليه الوهن الشديد. لعن جدّه الشيخ هجول التكريتي الذي جاءه إلى اتحاد الأدباء وشتم الطبيب المناوب الذي أوقفه عن تناول الكحول. واختلطت بعبراته صور سريعة عن ضحايا الحاوية الحديدية وعن التعذيب والاستجواب اللذين انقضّا عليه مثل ماء مثلّج ينقضّ على جمر ملتهب:

- أنت مرتد.

- أبوك شيعي وأنت تحمل راية الزرقاوي.

- ماذا همس في أذنك جدّك الشيخ هجول التكريتي؟

- ما هي أسماء الإرهابيين الذين تتصل بهم؟

وظلّ يبعد عن ذاكرته ذلك التعذيب الشنيع المخلوط بالترغيب بالعودة إلى الطائفة والتعيين كمستشار في البرلمان.

109

وعندما انتهت نوبة البكاء وساحت معها آلام الذكريات قرّر العودة قبل أن يفتقده السجّانون، بيد أنّ صوتا غريبا استوقفه.

من حيث لا يدري تقافز أمامه كائن صغير، فتسمّر في مكانه. زاغتْ عيناه إلى رمح بالقرب منه فأمسك به متأهبا. ثمّ تبيّن بعد هنيهة أنّ الكائن إنّما هو طفل صغير، فأصابته الحيرة من علّة وجوده ومن نورانية وجهه وكاد أن ينسى ما ينتظره فوق.

كان ذلك (هدهد الأهوار):

-   إنّه طفل يتحرك كجرذان الأفلام البوليسية التي تتّخذ من بالوعات نيويورك العملاقة مكانا لأحداثها.. لا. لا. إنّه كائن يختفي هنا بانتظار شيء ما.

فكّر حازم:

-   لا. إنّه ملاك توارى عن الأنظار للإعداد لحدث جلل، ولن يعثر عليه إلاّ مضطر أو مستغيث تقطعت به السبل وأغلقت دونه الأبواب.

أضاف لنفسه واستطرد في حكاية متخيلة:

-   لا لا! إنّه فتى ولد بعد موت أبيه. لا لا! إنّه فتى حملته أمه في جنبها، وولدته من الفخذ.

بيد أنّ الطفل نادى عليه بغتةً كاسرا تلك الأوهام:

110

- حازم كمال الدين السفّاح! تعال!

فاقشعر بدنه حين سمع اسمه وكاد أن يموت رعبا:

- هل هذا حلم؟

قال لنفسه بصوت عال. بيد أنّ الصبي لم يمهله. فقد تقدم وناوله ثلاث حصى، واحدة بيضاء واثنتين سوداوَين:

- **عندما تخرج من السجن أعط الحصى الثلاث لأمي في الأهوار. قل لها هذه من هدهد.**

قال له.

دون أن يعرف أيّ شيء إضافي عن أم (هدهد) أو عنوانها تناول حازم الحصى الثلاث، وأخفاها في ثيابه ثم قطع السلّم في قفزة واحدة إلى الأعلى تاركا خلفه ابتسامة الطفل الأبدية وصوته العصيّ على الوصف.

في اليوم التالي لم يغادر فراشه من فرط الرعب.

مساءً زحزح الفراش حتّى التصق باللوحة التي موّهت الباب. تهامس مع هدهد الأهوار من خلف اللوحة مستفسرا عن اسمه وأصله وفصله. وفي مساء اليوم الثاني تهامس مرة أخرى معه. وبعد ثلاثة أيام، اثنين سوداوين من أثر التعذيب وثالث أبيض كالإغماء وجد نفسه حرّا طليقا بمعجزة رفض التصريح باجتراحها لأيّ كان ما عدا زوجته أنوار الجبوري.

111

أما كتمانه لطريقة استرداد حريته فقد عبّد طرقا للشائعات وصلتْ لاتحاد الأدباء، ولمركز عمله في مديرية المسارح والسينما ولمنطقة الأعظمية التي يقطنها.

قالت إحدى الشائعات إنّه دفع فدية كبرى مقابل إطلاق سراحه، وقالت أخرى إنه تعهد للجنرال سامح الغرّواي بكتابة تقارير عن أبناء الطائفة السنّية من أصدقائه وجيرانه وزملاء عمله، وقالت شائعة ثالثة إنّه كذا.. وقالت، رابعة إنّه كيت.. بيد أنّ أقوى الشائعات كانت تلك التي تحدثتْ عن ارتباط عملية هروبه بقضية (رئيس اللجنة الأولمبية العراقية) الذي اختُطف في تلك الأيام.

وكانت تلك الشائعة مبنية على تقرير استخباري قيل إنّه يوجّه أصابع الاتّهام إلى جنرال، قلعة (أبو زعبل) باختطاف رئيس اللجنة الأولمبية العراقية وإخفائه في القلعة، مما دفع قائد العمليات المشتركة الأمريكي للقيام بتفتيش علني للقلعة. وعملاً بمبادئ الشفافية استدعيت وسائل الإعلام وجمع سكان الحي وعقد مؤتمر صحافي في حديقة القلعة الأمامية التي اكتظ الناس فوقها فلم تحتمل أرضها تلك الجموع وانخسفت فتبيّن أنّ ما تحتها أقبية وزنازين تساقط فيها المتجمهرون وتسلقها السجناء فشاع الهرج واختلط

الحابل بالنابل وفرّ من فرّ وكان ابن حفيدي الأعز واحدا من الفارين الذين ظهروا في أزقة قريبة من مبنى المسرح الوطني واختفوا بمثل لمح البصر.

لم يمض المرحوم حازم كمال الدين ليلته الثالثة بسلام.

فعندما جنّ السحر اهتزّ باب بيته وانخلع شباك نومه وانتُزع من أحضان زوجته وحُشر في صندوق سيارة. ولم يسمع ابنه الأكبر (بشّار) المهتّز كسعفة نخلة أيّ ردّ على توسلاته بترك أبيه سوى عنعنة بخيلة صفعت وجهه كرذاذ بصقة:

أبوك رافضي وعميل! لو لم يكن كذلك لما أطلق سراحه! لو لم يكن كذلك لما تجرأ على إهانة زوجة رسول الله. ماذا تنتظر من رافضي ملحد يعيش في الأعظميّة غير الخيانة؟

خارطة بغداد لتوضيح التداخل المذهبي في المدينة

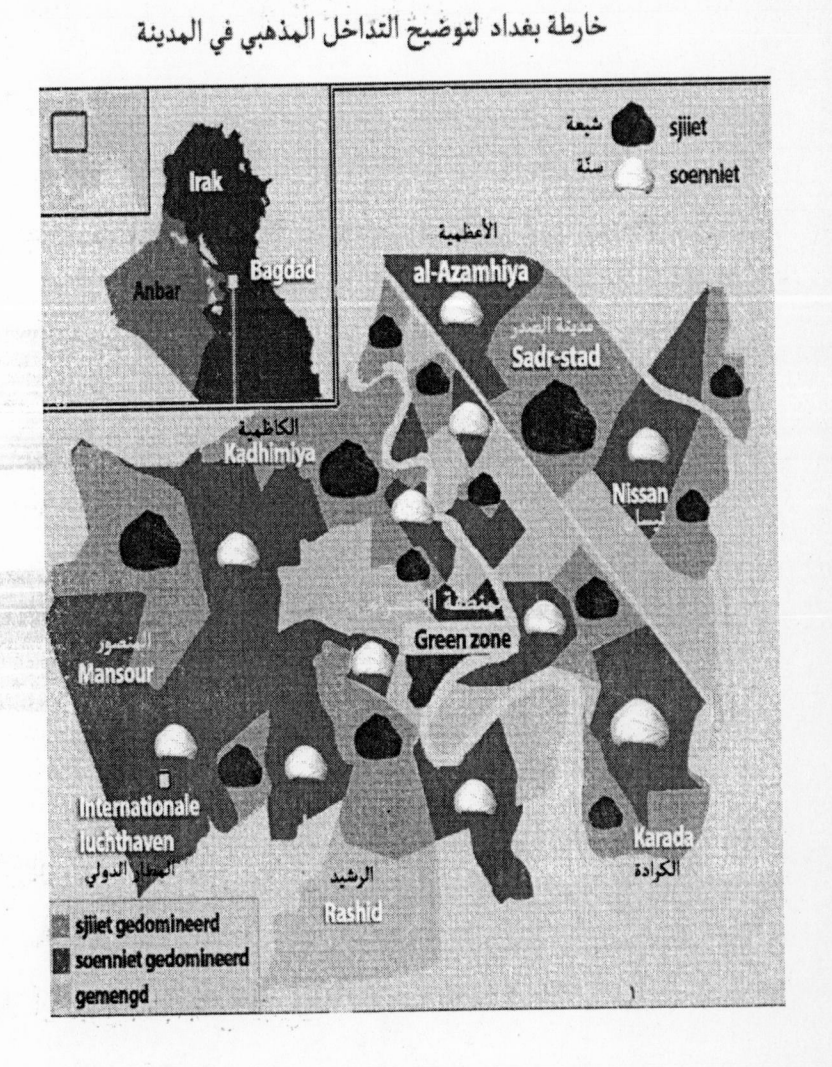

في النفق الحلزوني

يختفي صوت (جديدو) الذي يحتلّ موقع جدّ أبي في شجرة الأنساب
وكأنّه لم يظهر!

أنا خارج التجويف.

أنا في النفق!

لابدّ أن تجعلني تشقلباتي وانزلاقي إلى الأعلى أصدّق ما يقوله الخاطفون
عني.

أنا عميل ملعون.

نعم.

أنا ملعون!

أنا حازم كمال الدين السفّاح.

لا.

أنا حازم كمال الدين الملعون.

منشأ اللعنة التي حلّتْ عليّ هو النكتة التي أطلقتها في اتحاد الأدباء أمام الملأ.

مرة أخرى يسيطر عليّ صوت صديقي الذي يحتلّ موقع جدّ والدي: (جديدو).

صوته يتسرّب من كل مكان إليّ!

لكأنّي في تجويف من جديد أو كأنّني أنا التجويف!

- تجوف أم غار؟

صوت (جديدو) يطغى كالمدّ ويهمد كالجزر.

إنّني لا أستطيع الفصل بين ما هو واقعي وما هو خرافي.

تجويف ثامن في النفق..

توم وجيري

أُشيع أنّ الخاطفين سجنوا ابن حفيدي الأعز في منطقة الأعظمية، في قلعة يقال لها (قلعة السؤدد). وهي قلعة شاسعة المساحة تتناثر فيها بساتين ومحميات طبيعية ومبان صغيرة مموّهة لتفادي الطيران الحربي.

في واحدة من تلك المباني وضعوه.

داخل غرفة مقفلة أثاثها فاخر وأرضها مرمر أخضعوه لتعذيب جسدي ونفسي مروّع بهدف انتزاع الاعتراف بـ (خطيئة الغداء الأخير) تمهيدا لذبحه.

وخطيئة الغداء الأخير هي نكتة حكاها ابن حفيدي الأعزّ وتعرّض فيها لزوجة النبي محمد فجعلها تلعب دورا أثار استياء كلا الطائفتين. فالطائفة السنّية رأت عدم جواز التطرق بالنكات لزوجة الرسول بينما رأت الطائفة الشيعية أنّ النكتة تبرئة لها من جرائم الوهابيين.

117

والنكتة كما رواها لاحقا صديقه عبود العكايشي تقول إنّ زوجة الرسول ذهبتْ بعد الظهر إلى الله عزّ جلاله وقالت:

- طلّقني من النبيّ!

فقال علاّم الغيوب وقد علت وجهه صدمة:

- لِمَ يا أجمل زوجات رسول الله؟

فبكتْ وقالتْ:

- طلّقني!!

فقال عزّ جلاله برقّة الإله:

- يا من خلقتك من طين وجعلتك في أجمل تكوين وزوّجتك أحب المخلوقات أجمعين. لماذا الطلاق تطلبين وأنت في الجنة الموعودة ترفلين؟

فقالت:

- لقد تعبت وحقّك! كلما قاربت الساعة الثانية عشرة ظهرا انهالت طرقات مرعبة على بابنا. يذهب الرسول الكريم ليرى من الطارق، ثم ينادي عليّ: جاءنا عشرة ضيوف. اطبخي بسرعة. اطبخي بسرعة. جاءنا عشرون ضيفا، جاءنا ثلاثون. اطبخي بسرعة. اطبخي بسرعة. انتحاريون يقتلون العراقيين لكي يتغدّوا هنا على مائدة الرسول الكريم وما عليّ إلاّ أن أطبخ

بسرعة. اطبخي! اطبخي! اطبخي! طلقني يا رب العباد طلقني! لقد تعبتُ من الطبخ!

فوعدها العزيز الحكيم أنّها لن تطبخ مستقبلا وأنّ تلك الوجبة التي جهّزتها لذلك اليوم إنّما ستكون الغداء الأخير!!

وبعد اجتماع الخالق الحكيم برسوله الكريم، عاد سيد الخلق إلى البيت وطرد الانتحاريين ما أن طرقوا الباب ظهرا. فانتشر أولئك على ضفاف أنهار الخمور يكرعون منها ويسبحون فيها ويعربدون. فضاع صفاء الأنهار وامتزجت بالقيء، وأبى سكان الجنّة الاقتراب، من الأنهار حتّى تُنظّف وتجرّف.

وذهب الانتحاريون إلى الحور العين.

وبعد أن ساد الهدوء ساعات طوالاً في تلك الغرف الملوّنة الأضواء، ساحت خيوط الفجر لتكشف عن طابور طويل من حوريات ممزّقات الثياب تراصفن عند بوابات الخروج من الجنّة يطلبن حقّ اللجوء إلى جهنم.

واحدة صاحت بحارس البوابة أنّ أبو حذافة ظلّ يدير رأسها للتقبيل كما يدير رأس رهينة حتّى انقطع رأسها. وأخرى قالت إنّ أبو الجماجم أجبرها أن تضع عبوة ناسفة في رحمها قبل أن يأتيها من دبرها.

وحين رأى الغلمان المخلّدون أولئك الانتحاريين قادمين صوبهم، وكان الغلمان (لؤلؤ مكنون) أرقّ من النساء، تركوا الطواف على المؤمنين بكؤوس الشراب وتنكّروا في هيئة خبازين سخّموا وجوههم الأمر الذي دفع الانتحاريين لإقامة حواجز ونقاط تفتيش داخل الجنة بحثا عن (الغلمان المخلّدون).

***

أنكر ابن حفيدي وصديقي الأعز إطلاقه تلك النكتة ونجح بإقناع قائد قلعة السؤدد بذلك، ما دفع القائد أن يفتح ملف (جريمة العمالة للحكومة العراقية المتعاونة مع الاحتلال). وقبل أن يُسحل إلى زنزانة (التكفير عن الذنوب) أنكر حازم أي علاقة له مع الحكومة العراقية:

- **أقسم بشرفي يا حضرة أمير البساتين أنني أكره أولئك الأوغاد ما حييت. لقد تمكّن جميع سجناء قلعة أبو زعبل من الهروب وليس أنا فقط.**

وشرح لقائد (قلعة السؤدد) الملقّب أمير البساتين أيّ تعذيب تعرّض له في (قلعة أبو زعبل)، وأطال الشرح وأسهب في وصف تقنيات التعذيب مستخدما مواهبه التمثيلية ومبالغاته الدرامية وختمها بكيفية انهيار سقف الزنزانات على المعتقلين كأنّه صدعٌ في الجحيم خلط السجناء بالجماهير التي تعالى صراخها وهي تجد نفسها محشورة في هوّة وتتكوّم بين رجال لا تذكّر

أشكالهم إلا بأرواح احترقت في جهنم ما أوصل صراخها أو صهيلها إلى عنان السماء.

وكاد أمير البساتين أن يصدق لولا تلكؤ ابن حفيدي بتقديم جواب شاف عن أسباب تمسّكه بالأحجار الثلاثة التي استلمها من هدهد الأهوار والتي رفض أن يسلمها لهم رغم التهديد بقطع كفّه القابضة على تلك الأحجار.

فكيف يصدق قائد قلعة مؤمن يحمل لقب أمير البساتين حكاية علماني ملحد عن لقاء مع طفل مختبيء في (قلعة أبو زعبل) وطلب الطفل منه إيصال ثلاثة أحجار إلى أمّه ما لم يكن هذا الحازم كمال الدين شيعياً يعمل على الطريقة التقيّة؟

عندما انتهتْ جولة الاستجواب العاشرة ولم يتزحزح حازم عن قصة المخبأ السري وما فيه من أثاث عجيب رفع أمير البساتين بغتةً جلابته وأخرج زبره وتبوّل على كفّ حازم القابضة على الحصى ثم على كامل جسده وسط دهشة أتباعه.

وإبان حمّى الدهشة ولذّة التبّول كلّف أمير البساتين اثنين من رجاله الأشداء بانتزاع ما يلزم من (الرافضي المأبون). وكان المكلفان بالمهمة هما (المفكر) أبو الجماجم و (المارد) أبو حذافة:

- استخدموا الطريقة الآتية: ضعوه في قدر وأحكموا إغلاق الغطاء. أشعلوا نار التعذيب واتركوها خافتة. دعوا النار تسري من خارج القدر حتّى يسخن القدر ثم يغلي. سيتعرق وهذا مفيد للطهي. ثم سيغلي داخل القدر. وحين تهمد حركته افتحوا الغطاء وانظروا. إذا كان جلده قد تكرمش وتحمّص فأخرجوه وثبتوا رأسه على شواية الباربكيو واتركوه حتّى يتفحم. وإذا لم يكن قد اعترف بعد رشّوا رأسه المشوي بالماء البارد. إنّ سقوط قبضة ماء واحدة عليه ستكون كفيلة بتمزيقه إربا إربا!

وبعد أن أعاد قضيبه إلى كلسونه أضاف عبارة:

- إذا كانت لديكما أفكار أخرى فالطريق أمام الإبداع مفتوح. انتبهوا! أريده أن يعترف. لا أريده أن يموت!

فسحله أبو حذافة من ذلك المبنى إلى زنزانة بدائية في البستان واقتسم معه كل شيء: المأكل، والملبس، والحذاء، والجواريب، والفراش، وحتى فرشاة الأسنان والملابس الداخلية.

كان حجم أبو حذافة كبيرا جدا على كلسون حازم. إنّه مارد مجبول من طبقات لحم ثقيلة في هيئة كرة عملاقة التصق أعلاها رأس صغير. ومن أساليبه النفسية أنّه كان يتعرّى تماما في الليل ويحشر نفسه في فراش حازم

ويحتضنه ثم يتقلّب طوال الليل ويشخر بطريقة لا تعرف هل هي حقيقية أم مفبركة.

لم يكن أبو حذافة متديّنا. إنّما كحوليا يعبّ ما يقع تحت يده من خمور. ولإخفاء رائحة الكحول عن المجاهدين يستخدم علوكا وعطورا تزيد الزنزانة المغلقة الشبابيك وخامة. هوايته الأساسية استراق النظر إلى ما تعرض القنوات الفضائية من أفلام خلاعية كلما خرج أبو الجماجم. ولم يكن يعرف بسر الأفلام الخلاعية سوى ابن حفيدي الذي وعد أبو حذافة بالكتمان لقاء تخفيف التعذيب.

المسؤول الآخر عن التعذيب هو (المفكّر) أبو الجماجم النقيض لأبو حذافة. فأبو الجماجم (عقائدي حدّ العظم!) كما يحب أن يسمي نفسه وهو المسؤول المباشر عن تنفيذ تعاليم أمير البساتين.

أبو الجماجم أربعيني قصير مفتول العضلات ورياضي متمرس، ويلجأ كثيرا للتعذيب النفسي إحدى طرقه الإمساك بحزامه الناسف بطريقة خطيرة جدا واللعب به كأن يفككه ويركبه ويتلاعب بالريموت كونترول ويضغط على الزر ويصرخ وكأنّه انفجر حقا أو أن يخرج من الزنزانة ثم يدخلها على غير ما توقع ويهجم على حازم بنفس طريقة الانتحاريين التي تعرضها أفلام اليوتيوب.

123

من عادات أبو الجماجم أن لا يخلع الحزام الناسف أبدا وأن يغلّف أعضاءه الجنسية بعلبة بيبسي كولا يربطها إلى وركه بسلسلة تنتهي بقطعة حديد اسطوانية، لأنّه مسكون بقناعة لا تفنى أنّ كل شيء في جسده سيتناثر إذا انفجر الحزام الناسف، لكنّ تغليف قضيبه وخصيتيه بعلبة البيبسي كولا وربطها بقطعة الحديد الاسطوانية سيضمن إنقاذ تلك الأعضاء من التمزق ووصولها سالمة إلى الجنّة حيث الحور العين و(الغلمان المخلدون) ينتظرونه على أحر من الجمر. وهو يدافع باستماتة عن نظرية استخدام علبة البيبسي كولا درعا لأيره:

- نعم! أنا أستخدم علبة مصنوعة في بلاد الكفار. أنا آخذ منهم ما أستفيد منه! قارن نظريتي مع نظريات المجاهدين الذين يستخدمون وسائل أخرى للحفاظ على الزبر. إنّ استخدامهم علبة بلاستيك أو حفاظة أطفال وحشوها بالمواد الحافظة للتلف لا تضمن الوصول بسلام إلى الجنّة. لقد رأينا ذلك بأمّ أعيننا. فكم مرة وجدنا زبر أحد الشهداء مفلوقا بعد أن احترق فيه البلاستيك، أو تفحّم داخل حفاظة أطفال!

أبو الجماجم يحفظ أيضا القرآن عن ظهر قلب، ويرتّله طوال الوقت. وإذا ما استراح من الترتيل يردّد أبياتا من ملحمة جلجامش بنفس طريقة ترتيل القرآن:

124

- بَعْدَ أَنْ خُلِقَ جِلْجَامِشَ وأَحسَنَ الإلهُ العَظِيمُ خَلْقَهُ، حَبَاهُ (شَمَشُ) السَمَاوِيُّ بالحُسْنِ وَخَصَّهُ (أَدَدُ) بالبُطُولَةِ، جَعَلَ الآلِهَةُ العِظَامُ صُورَةَ جِلْجَامِشَ تَامَّةً كَامِلَةً. كان طوله أحد عشر ذراعا وعرض صدره تسعة أشبار، ثلثاه إله وثلثه الآخر بشر...

الشراكة الوحيدة بين أبو حذافة وأبو الجماجم بالإضافة إلى انتمائهما لذات التنظيم الجهادي هي الولع بمشاهدة أفلام كارتون وتحديدا أفلام توم وجيري.

ما أن يعود التيار الكهربائي بعد انقطاع طويل حتّى يهرع أبو حذافة ليضع قرص (سي دي) لواحد من خمسة أقراص مدمّجة، وهي كلّها تحتوي على أفلام (توم وجيري). وبعد فترة من المشاهدة يتقمص الرجلان شخصيتي توم وجيري. وبسبب ضخامة أبو حذافة الهائلة يفرض عليه أبو الجماجم أن يلعب دور الخاسر البليد كما يحدث عادة في تلك الأفلام، ولكن، واحتراما للتسلسل القيادي الجهادي فإنّ أبو الجماجم يطلق على أبو حذافة كنية الفأر ليتّخذ من القط اسما لنفسه على الرغم من تناقض الحجمين! قطٌّ صغير ثاقب الذكاء وفأرٌ عملاقٌ بليد!

في أحد مشاهد توم وجيري يتنازع القط والفأر على قطعة لحم مقدد في مطاردة جنونية، وحين تشارف المطاردة الذروة يذكّر أبو الجماجم صاحبه

بوجود ابن حفيدي الأعز فيستدير الاثنان إليه ويحيلانه إلى قطعة اللحم المقدّد في خيالهما. يهرع أبو حذافة صوبه لكي يمزقه ثم يختطفه مختبئاً في زاوية بينما يحتال أبو الجماجم على أبو حذافة وينتزع ابن حفيدي الأعز باعتباره قطعة اللحم، وهكذا يجرجرانه، ويعضّانه، ويحشرانه، ويهشّمان كرسيا على ظهره... إلخ.

ولم يكن ابن حفيدي قادرا على فعل أيّ شيء سوى انتظار تنامي خيال وانفعال الرجلين أثناء مشاهدتهما لأفلام توم وجيري والتضرّع لانقطاع التيار الكهربائي قبل الوصول إلى مشهد قطعة اللحم المقدّد.

لكنّ أشهر تقنية تعذيب عُرفتْ عن أبو الجماجم هي ما أطلق عليها أبو حذافة (صولة التنّور). وموجز هذه التقنية النفسية ادّعاء أبو الجماجم بالمسؤولية القيادية المباشرة في عملية اختطاف حازم كمال الدين وتأليف حكاية متخيّلة هدفها إنهاء أيّ أمل لحازم في الخروج سالما من قلعة السؤدد ما لم (يقدم المطلوب) بحسب التعبيرات السائدة. وقد اشتهرتْ تقنية (صولة التنّور) في محافل الجهاديين بالنظر لفشلها المدوي.

تلك التقنية مؤسسة على تأويلات أبو الجماجم لأقوال أمير البساتين الرامية لحمل المعتقل على الاعتراف أو التثبّت من براءته دون استخدام وسائل مؤدية للموت. فالمجاهدون يعتبرون فقدان حياة المعتقل خسارة

مالية للتنظيم. بل ويأملون ببراءة المعتقل من تهم تؤدي إلى قطع الرأس لكي لا يفقد التنظيم فرصة الحصول على فدية لقاء إطلاق سراحه.

من هذا المنطلق حشّد أبو الجماجم طاقاته الإبداعية للوصول إلى (نهاية سعيدة) عنوانها براءة المعتقل من تهمة العمالة وتحوله إلى مُختطَف يُباع إلى تنظيمات أخرى نظير سعر معلوم، ووضع الأسس لنظريته النفسية التي عُرفتْ لاحقا بالعنوان المثير (صولة التنّور)، وشرع في نسج حكايات اختطاف ذروتها رشّ بيت حازم كمال الدين بالنفط وإضرام النار على من فيه. بيد أنّ هذه الحكايات صارتْ عرضة للتغيير المستمر بناءً على محاججات حازم الذي كان يبحث محموما عن ثغرات تكذّب تلك الحكايات وقد ساعدته على المحاججة معلومات سرّبها أبو حذافة عن الوقائع الفعلية لما حدث وعن الأهداف المتنوعة الكامنة وراء الاختطاف، ومن بينها أنّ أمير البساتين هو الذي قاد العملية بنفسه، وأنّ أمير البساتين لا يريد ذبحه.

أولى الثغرات التي تمسّك بها حازم هي عدم رؤيته لاندلاع النيران في البيت ساعة اختطافه. والأخرى أنّه لم يشمّ رائحة حريق حتّى لو كان محشورا في صندوق السيارة. والثالثة أنّ العقل لا يقبل أن تفلق زوجته التنّور وتختبِئ داخله. والرابعة استحالة تحول ابنه الأكبر إلى قائد جهادي في

الفلوجة وعمره لما يبلغ بعد الـ 13 سنة. والخامسة كذبة اعتقال ابنه الأصغر وحشره في قفص مع أسود أفريقية في محميّة داخل القلعة، فالأخير لم يكن في البيت. والسادسة أنّ العلم ينفي إمكانية حمل ابنته البالغة من العمر 11 سنة حتّى ولو كان أبو حذافة قد تزوجها عنوة، أضف إلى أنّه لم يسمع أبو حذافة ولو لمرة واحدة يناديه (عمّي!) لا أثناء التعذيب ولا أثناء الاستراحات.

وإذ تراكمت ثغرات الحكاية على رأس أبو الجماجم وأدرك أنّه غارق في لجّة فشل لا تحمد عقباه واستعصى عليه إيجاد الحلول المنطقية لحكاية الزوجة والتنّور أُصيب بالهستيريا وانهال في واحدة من جولات الاستجواب على حازم بالكلمات وأمسك برقبته وأشهر السكين لذبحه:

- ابن العاهرة! إذا أخبرتك بالحقيقة كذبتني وإذا ماشيتك في القصة كذبتني أيضا!! لقد دخلت زوجتك في كس أم التنور وانتزعتُها من صرم التنور بعد أن شلختُ فردتي التنور ووضعتُ واحدة على كتفي الأيمن وواحدة على كتفي الأيسر وصرتُ أرهز وأرهز حتّى أطفأ المنيّ لهيب التنّور! أنت متكبّر! أنت مغرور! سأذبحك الآن! والله العظيم أذبحك! أنت سجن لي ولست معتقلا. إذا قتلتك سأكون قد هشّمتُ قضبان سجني! لولاك لكنت الآن في أحضان زوجتي. أتعرف منذ متى لم أعاشرها؟

ولأنّه كاد بالفعل أن يذبح حازم، بدأ أمير البساتين يعيد حساباته بتكليف أبو الجماجم بمهمة الاستجواب.

أما الأمر الذي حسم موقف أمير البساتين من أبو الجماجم فقد كان تقرير أبو حذافة المعنون: (شحوب النور كربسنا في الديجور وأوقعنا في صولة التنّور). إذ تضمّن التقرير المكتوب بلغة مسجوعة غاية في الركاكة وصفا مهينا لخروج أبو الجماجم عن طوره وعجزه عن ابتكار بديل لتقنياته التي أثبتت فشلها، بل وعزوفه أحيانا عن الاستجواب فضلا عن وقوعه في نوبات غير قابلة للتفسير المنطقي كمثل (الركض المفاجئ في المكان وهو يحاكي العدائين الأمريكان السود)، وكمثل ارتقائه السلّم المؤدي إلى الطابق الثاني من الزنزانة ووقوفه هناك كمؤذن على منارة وإطلاقه العنان لصوته الفاقد للخبرة بتلاوة أذان الصلاة خارج التوقيتات الخمسة المعروفة، ثم تسجيل الصوت على الهاتف المحمول وإجبار أبو حذافة على الاستماع والإقرار بأنّ صوته أجمل من صوت الشيخ (أبو العينين شعيشع).

فاحتْ رائحة تقرير (أبو حذافة) رويدا رويدا بين مجاهدي قلعة السؤدد وانتشرت نظرية صولة التنّور التي أدّتْ إلى سحب المهمة من أبو الجماجم.

في الحلزون..
ما بين الحلزون والتجويف

يختفي صوت (جديدو).

اختفاء صوته يعني أنّ التجويف سيلفظني.

يعني أنّني سأجد نفسي مرميا في حركة الحلزون اللا هوادة فيها.

أُرمى في النفق الحلزوني وألتصق في بقعة من جداره المقعّر.

مع ذلك مازلتُ أسمع أصوات مؤذن ناشزة.

تضرب الجدار قوة مكينة تفلقه فيحتويني تجويف وينغلق.

التجويف يلفظني.

الحلزون.

ثم تجويف يطردني.

الحلزون.

التجويف يزفرني.

الحلزون.

صوت المؤذن النشاز.

تراني أتأرجح بين التجاويف متبوعا بأصوات المؤذن الناشزة؟

مرة أخرى تجويف.

مرة أخرى الحلزون.

تجويف آخر.

أعاصير الحلزون.

تجويفٌ حامي الوطيس، أو تنّور جداره الداخلي تراب أحمر مخلوط بالتبن وقطع القرميد.

أنا في تنّور عملاق.

قاعه مسربلةٌ بالرماد والجمر والحطب نصف المشتعل.

أرى رغيف خبز ملتصقا على حائطه.

تبزغ في قرص الرغيف فقاعات عجينية تكبر تصبح قبابا أو أنصاف بالونات.

داخل قبّة شبه شفافة أرى زوجتي أنوار الجبوري، تكبر شفتاها وتنفرجان عن صرخة تطلب مرافقة جنازتي إلى المقبرة.

تفجر صرختها فقاعة الخبز فتقفز أنوار خارجها وتعدو فوق هضبة قرص الخبز المعفّر بقباب هنا وهناك حتّى تنخسف بقعة في الرغيف فتسقط فيها وتغيب وينمو الخسف ليصبح فقاعة أخرى تظهر فيها زوجتي وجماعة ناجين السينمائية الواقفين بوجه مرافقتها لجنازتي.

فقاعة ثالثة في قلبها أبوها وأمها يعانقانها ويفقآن الفقاعة بدبّوس فيسقط قرص الخبز العملاق مدوّيا فوقي وفوق الرماد والجمر فتقوم أنوار وتزيح الرغيف العملاق عني وتنفض الرماد.

ينبثق اسمها مكتوبا على غمامة رماد متطاير ورذاذ جمر يتلاسع: أنوار الجبوري.

وبلمح البرق ينثال الرماد والجمر ويكتبان قصة حبّنا في أكاديمية الفنون الجميلة، ويختفيان ويظهران من حيث لا مكان ولا زمان فيكتبان زواجنا، وكمثل أفلام كارتون يرسمان بطنها منتفخا كبالون ومنفجرا عن صبي ومنتفخا كقبّة ومنفجرا عن صبي ومنتفخا كهضبة ومنفجرا عن صبية.

***

لن أعرف أبدا النهاية الحقيقية لأسرتي.

فحين سيعتقلوني في قلعة السؤدد ستجري الأمور الفعليّة هكذا: سيرشّون بيتي بالنفط ويضرمون النيران كما قال أبو الجماجم ولكن بعد أن تكون سيارة الاختطاف غادرت المكان ودخلتْ القلعة.

وفي أوار حريق غرف النوم والصالون وفوضى انفجارات الطناجر وقنينة الغاز سيلعلع صوت زوجتي مناديا على الأطفال. ولحظة تجد نفسها بالقرب من التنور وترى أنّ المجاهدين يرونها ولا يرونها وسط الدخان وألسنة اللهيب ستضرب التنّور بعصا فينفلع نصفين وتحشر نفسها داخله وتعيد تركيبه بارتباك مرعوب.

لن تعرف زوجتي أي شيء عن مصائر أبنائنا، لأنّ المجاهدين سيفتحون شقّي التنور وينتزعونها.

لن تعرف أنّ ابنتنا سميرة تعيش حقا في قلعة السؤدد التي أقبع فيها بعد أن زوّجوها من جلاد أبيها أبو حذافة وعمرها 11 سنة ولن تعرف أنّ ابنتنا ولدت بعد تسعة أشهر حفيدا سيصبح ذا شأن في ساحات (الجهاد).

كذلك لن تعرف أنّهم غسلوا دماغ ابننا الأكبر (بشّار) وأقنعوه بالجهاد فتسلّق المناصب ومنحوه رتبة أمير خلال شهرين.

أمّا أنا فلن أعرف أن ابني الأصغر (جمال) رفض الانخراط في الجهاد فرموه للأسود التي اعتادتْ على التهام لحم البشر من أزمان عدي صدام حسين.

***

سأدرك فقط أنّ الصور تنقطع على حين غرّة.

وأنّ التنّور يفيض ويرميني إلى النفق مرة أخرى.

للمرة الأولى منذ ولادتي داخل الحلزون أشعر أنّ الظلام يذهب إلى ما يشبه التماعة نور ألمحها ولا ألمحها.

نورٌ يومض مثل برق أحسبُ أني رأيته لكني لستُ متأكدا من ذلك. فلا أثر ملموس له إلا في ذاكرتي أو في غريزتي!

ما يزعزع قناعتي برؤية النور هو تشقلبي المستمر والريح المفاجئة التي تلفحني وترميني إلى مجسات تزدردني.

أنا في تجويف أو في فضاء حافل بأشجار تثمر عقيقا أحمر.

فصٌّ عقيقيٌ ينفتح، يبتلعني، يصبح زنزانة تعذيب.

من خارج جدران الزنزانة يتناهى لي صوت (جديدو).

تجويف تاسع في النفق..
عزّ الله أونلاين

بعد أن قرر أمير البساتين استبدال أبو الجماجم بمجاهد آخر صار لزاما عليه تغيير أبو حذافة أيضا بناءً على قوانين النظام الداخلي للتنظيم. وكانت الحجّة المعلنة لاستبدال الرجلين هو اختبار وسائل تعذيب جديدة في القلعة وتقديمها في مباراة قررتها قيادة المجاهدين تحمل اسم (أنجع الأبجديات في تركيع الروافض والميليشيات).

ما أن استلم المجاهد المكنّى عزّ الله أونلاين مهماته كـ (قاهر للروافض) حتّى ابتدأ بحديث ناعم ومثقف لبضع ساعات مع حازم.

وبما أنّ ابن حفيدي الأعزّ كان سينمائيا كبيرا قرّر عزّ الله أونلاين أن يبدأ بتركيع تقنيات السينما والخيال العلمي حتّى يخلع حازم قناع التعالي على جلاده ويبدأ بالتعاون معه:

- اسمح لي أن أبدأ بفيلم الميتريكس جناب الأمير!

135

قال عزّ الله أونلاين في إضافة على تقريره وعضّد كلامه بعد أن راقب تأثير المقترح على أمير البساتين:

- **إنّهم يظنّون حضرة الأمير أنهم يسبرون أغوار البشر. نحن أدرى بشعاب الروح والله! سأغوص في روح الرافضي وستفوز قلعة السؤدد في مباراة أنجع الأبجديات في تركيع الروافض والميليشيات. وسيرى جنابك من هو عزّ الله أونلاين.**

وبعد موافقة أمير البساتين على نظرية (أنجع الأبجديات) طلب عزّ الله أونلاين مجاهدين يساعدونه في بناء (صندوق الدنيا). فأحالوا زنزانة وسط البستان المترامي إلى مكان تكنولوجي وسحري. نصب عزّ الله أونلاين شاشات كبيرة وصغيرة استحوذت على الجدران والباب والشباك والتواليت والسقف. علّق ستائر بيضاء مصفرّة على الباب لتؤدي وظيفة شاشة عرض إضافية. علّق عارضات أفلام في السقف ورمى أخرى على الأرض. ثبّتَ سمّاعات كبيرة في السقف. شاشات كومبيتور قديمة وحديثة تحتلّ جدارا وترتبط مع جهاز كومبيوتر واحد.

وصار يعرض أفلاما عبر الانترنت وأخرى مسجّلة في مزيج غريب.

كليبس clips عبر الانترنت على مختلف الشاشات حيث يتداخل كل شيء: قصائد كوميدية، تجويد قرآني، أفلام كارتون، مشهد إعدام صدام

حسين، كلاب تتناكح، موسيقى روك، تطبير، بحر هادِئ رومانسي، ضفادع تتحدث، مجاهدون يفجرون دبابات أمريكية، خطب سياسية تغنيّها حيوانات، جورج دبليو بوش في لقطات إباحية، مخازن كحول تنفجر وتستحيل إلى أنهار من الخمور، حوريّات منقوشة على أواني، غلمان مخلّدون منحوتون نحتا بارزا على أباريق في المراحيض...

على الشبّاك وفي أعلى السلّم وفي عمق التواليت وضع عزّ الله أونلاين إطارات تطلّ منها بين الفينة والأخرى شخصيات حقيقية وأخرى غير حقيقية:

رأس يظهر من إطار في الشباك يجزّه سكين عز الله أونلاين فيسقط الرأس عند قدمي حازم. يطلّ من إطار أعلى السلّم رأسٌ يصرخ وكفٌّ تهدّد سبّابته حازم. تنضح يدا رجل وجذعه من إطار في عمق التواليت. إطار موضوع على الباب ينفتح فيبزغ منه رجل يتوسل إلى حازم أن يعترف ويتوب إنقاذا لحياته. لوحات كلامية تملأ الإطارات بشكل مفاجِيء خلفيتها مصابيح ملوّنة. صور وثائقية عن الحرب في ذات الإطارات. رلييفات Reliefs. رأس ثور يخرج من إطار ليلحس لسانه الطويل وجه حازم.

لوحات تتنكر لعناصر التناظر والتشخيص والتجريد والهارموني. لوحات تثقل حازم وتمنح عزّ الله أونلاين فرصة للتنويع والتجريب. عزّ الله أونلاين يبحث عن أشكال ومحتويات في فضاءات الإطارات، في تحريض لدواخل حازم لكي تفتح طريق (لا نهائيات الرافضي الكلب) كما يقول متفلسفا. تفكيك، وتجريد، وتغريب عن السياقات. وسائل تحيل حازماً إلى كائن تتجوّل فيه عناصر التضاد واللا تنظيم المحكمة الدقّة.

ولم يكتف عزّ الله أونلاين بتلك الموسوعة التجريبية. إنّما أضاف لها عمليات ذبح في صور مختلفة: منها الذبح العرضي، والذبح الإخباري، والمقصود.

مرة قاد حازم من (صندوق الدنيا) إلى (دار القضاء والقدر) واصطدم في الممر بمجاهد مشغول بذبح شخص تبّول وتغوّط على نفسه. ومرة أمره عزّ الله أونلاين بالمشاركة في ذبح رجل. وثالثة انقذف فجأةً شخص خرج من إطار لوحة ولاذ بحازم بينما قفز مجاهد من إطار آخر فذبح الشخص الممسك بتلابيب حازم. ورابعة رأى أثناء إعادته من (دار القضاء والقدر) تلفزيونا كبيرا بدا منسيا يعرض عملية ذبح. وحين تمعن بالتلفزيون اكتشف أنه إطار كانت تجري خلفه بالفعل عملية ذبح بمدية عمياء لشخص يتوسل للذبّاح أن يشحذ المدية.

لم يتوقع ابن حفيدي الأعز أبدا أن يرى مثل تلك الموهبة السينمائية ومثل ذلك التهجين بين التكنولوجيا المتطورة وأدوات في غاية البدائية وطريقة تنظيمهما مع بعضها البعض بدقة وخبرة عالية.

ما كان يساعد حازم على الاحتمال هو هجوم مرض السكر. ففي كل مرة يخونه التحمّل يدركه مرض السكّر المؤدي إلى الإغماء وإيقاف التعذيب.

بيد أنّ عزّ الله أونلاين لم يكن غافلا عن (ألاعيب) ابن حفيدي.

لقد طوّر نظاما يمكنه من اختراق لا وعي حازم كلما هرب من الوعي إلى تينة، فعريشة عنب، فساقية، فطريق قروي. وفي كل مرة يكاد أن يصل فيها شاطئ الأمان، أو غياب الوعي، يشتعل غضب عزّ الله أونلاين ويتحوّل التعذيب إلى مطاردة جنونية أبطالها تقنياته الميتريكسية وحازم المتمرّس في تقنيات الفرار التي تجعل مرض السكّري خلاصا أخيرا قد يفضي إلى الموت.

بعد أشهر خرج الأمر عن إمكانيات عز الله أونلاين. فقد حافظ ابن حفيدي على طرق الوصول إلى حافة الموت الذي يثير رعب عز الله أونلاين كل مرّة ويجبره على التوقف، مما اضطر أمير البساتين أن يكلّف أبو حذافة (منفردا) بالعودة إلى موقعه لكي يجرّب طرقا جديدة يشرف عليها الأمير بنفسه.

في النفق الحلزوني..

حازم في الجب

انفجار جديد أو هكذا أحسب!

يتناثر صوت (جديدو) كما لو زجاج هشّمته قذيفة.

أتطاير من التجويف الذي يتمزق فيبتلعنا ديجور.

ظلام يمور كمرجل.

أصوات انفجارات.

غارات طيران.

تهدّم مبان.

عويل جموع تولي الأدبار.

قصف جوي يفلق السمع.

رفيف جناحي هدهد يطير تعلق بأقدامه حصى ثلاث.

شظايا، وحشائش.

الهدهد يولول مستجديا إخراجه من المرجل!

من صدى صوته ومن حلكة الظلام ينجدل شعاع ضوء تتراقص فيه خيالات رعاة يهشّون غيوما لامست الأرض.

شعاع ضوء آت من نهاية النفق يوحي بأنّ الرعاة تخطيطات بدائية على جدران كهوف.

هل شعاع الضوء هذا هو حافات النفق؟

فجأةً تمدّ بئر لسانها فتصطادني وتسحبني إلى أعماقها وتنطبق.

أفتقد صوت (جديدو).

ديجور ثقيل داخل بئر واسعة القعر بمقدار ثمانين قامة ضيقة العنق بحجم خرم إبرة.

ماءٌ مالحٌ أم إنّني أتعرّق؟

هل ما تلامسه يداي جدران يتفتت صلصالها كلما لمستها فيتسع البئر أم أنّه ضباب من الطين؟

إنّني أشدّ وحدة من غريب بحاجة لمؤنس.

ومن وحيد بلا صاحب.

ومن عطشان يرى دلوا هابطا من أعلى البئر فيتعلق بحبل آمال تبدّدها لكمةٌ جبّارة من أبو حذافة.

تجويف عاشر في النفق..

أمير البساتين

قبل أن يسمع أبو حذافة التعاليم سيظنّ أنّ أمير البساتين قرّر الشروع بطقوس المرحلة الأخيرة، السكين والرقبة. وسيظنّ أنّ إعلان الأمير عن نيّته في الحضور إلى زنزانتي إنما هو عائد لرغبة الأمير أن يعلن ذلك على المجاهدين الذين ملأوا الزنزانة بانتظاره.

طقوس السكين والرقبة أمر مفرح لأبو حذافة الذي يتمنّى من زمن الحصول على ترقية داخل التنظيم الذي ترتبط ترقياته بأعداد محددة لرؤوس ينبغي أن يقطعها المجاهد. فإذا ما جزّ مجاهد 12 رأسا سيستحق الترقية إلى رتبة أمير قاطع في حيّ. وإذا ما قطع 120 فسينال ترقية تجعله أميرا للحيّ. وإذا ما قطع 1200 رأسا فإنّ التنظيم سيجعله أمير منطقة.

سيطلب أبو حذافة موافقة الأمير على أن يذبحني ما أن يراه داخلا. إلاّ أنّ جواب الأمير سيكون تمتمة حاسمة:

- أنت فاشل!! أعدتك للموقع لكي تأتيني بفكرة جديدة!! لكن لا فائدة. أنت لا تفهم ما أعني. في نهاية الأمر أنت لست سوى منطاد يطلق من إسته ثاني أوكسيد الكربون فقط.

وسيزيح أبو حذافة جانبا ويضيف:

- قرّرتُ أن أتولى بنفسي الكشف عن (الشبّث)!!

دون أن يعرف أبو حذافة ما يعني أمير البساتين بكلمة (الشبّث)! فجلّ ما كان يعرفه هو إصابة الأمير بأرق شديد ناتج عن استعصاء الحصول على ما يريد مني دون أن تخطر بباله التفاسير التي توصّل لها الأمير بشأن أسباب تحمّلي لذلك التعذيب، ولا تحليلات الأمير التي تفيد امتلاكي لقوى خفيّة مستمدّة من حيوان (الشبّث) أو ما يسمّى العنكبوت الجمل الذي انتشرت صوره بشكل هائل على الانترنت. كذلك لن يعرف أنّه درس تاريخ أسرتي وتوقف إزاء العلاقة الملتبسة بين عمّي خالد وبيني واستنتج أنّ علاقتي بعمّي لم تكن سوى حقد غريزي، وأثبت ذلك من خلال تنقيبه في أرشيف مخابرات (المجاهدين) الذي هُرّب إبان سقوط بغداد وعثوره على صور لإعدام عمّي ولتسلّمي أكبر وسام في الدولة يوم الإعدام ذاته. وبالطبع لن يعرف أنّ تلك الصور ستجعله يرى أنّني لعبتُ دورا حاسما في إعدام عمّي وأنّ ذلك الدور الحاسم يعود إلى لعنة الطفلة (العقرباء) التي اشتهرت بقصة

143

زواجها من جدّي بدلا عن أبي وحكايات تحوّلها إلى عقرباء عندما انتصفت ليلة الدخلة وغرزت شوكة السمّ في رقبة جدّي ونفثت العفاريت فيه حتّى تجوّف واستحال عبدا أنجبت منه (عقربا بشريا) هو عمّي خالد. وسيتوصل إلى تعليل علاقتنا العدوانية باعتبارها ذات الكراهية الأبدية بين الشبّث والعقرب. فالاثنان ينتميان بحسب بحوثه لذات فصيلة الحيوانات اللا فقرية وأنّ عمّي استحوذ على مكاني دون وجه حق داخل إطار تلك الفصيلة. وبما أنّ عمّي خالداً كان عقربا بشريا لخروجه من رحم عقرباء فلا بدّ أن أكون (الشبّث البشري) ندّه وعدوه. ذلك الاستنتاج المعقد والسوريالي عائد لعدم رغبة الأمير بقتلي وخسارة الفدية.

سيأمر أمير البساتين أبو حذافة بصوت يفضح أفكاره ولا يفضحها:

- احضر طبيب العيون!

وسيحضر أبو حذافة الطبيب دون أن يفارقه التساؤل عن سبب ادخاري على الرغم من أنني أحمل الأحجار الثلاثة التي تشكل دليلا دامغا على أنني (رافضي). وسيقدّم طبيب العيون تقريرا مؤداه أنّ:

- للمريض زوج من الأعين ضعيفة البصر. رؤية العين اليمنى تقارب الصفر واليسرى مليئة بأعراض مرض السكر. العينان تزوغان عن الضوء في الليل.

وسيلاحق أمير البساتين الطبيب بالأسئلة ظنّا أنّ ضعف البصر وزوغان العينين دليل ملموس على أنّني الصورة البشرية لحيوان (الشبّث):

- **ضعيفتان وتزوغان عن الضوء في الليل؟ ولماذا لا تنجذبان للضوء؟ وهل هذا الزوغان له علاقة بمرض السكّري أم بشيء آخر؟**

وسيزيد الأسئلة العصيّة على إدراك المجاهدين والطبيب وهو يتابع (الدليل الملموس):

- **أعذرني جناب الأمير. لا أعرف مدى علمية أسئلتك لكنني أظنّ أنّ الزوغان عن الضوء له علاقة بالمرض! إذا ما نظرت إلى البؤبؤ ستجد أنّ الانحراف حديث العهد وسريع لأنّ مسقط الضوء لا يتجه إلى الشبكية بهدوء بل بتعرج....**

لكن الأمير سيقاطع طبيب العيون بعناد وهيمنة:

- **افحص فكوكه الخمسة إذن فحصا دقيقا!!**

بيد أنّ الطبيب سيعتذر لأنّ الأمر من اختصاص أطباء الأسنان لا أطباء العيون.

سيستدعي الأمير طبيب أسنان وسيجبره أن يفحصني بطرق تتناسب مع خياله. سيطلب منه أن يضع تفاحة بين أسناني ويجبرني أن أقضمها، وسيعطيه حبة بطاطا غير مسلوقة لكي أضغطها بين فكي حتّى تنقضم

وسيعطيه جوزة لأفعل معها نفس ما فعلت بالبطاطا. ولم يعرف أحد أنّ تلك العمليات تهدف أن يثبت أنّ فكي قوي. فالشبّث يمتك أقوى الفكوك في مملكة الحيوان.

وإذ تخاتله صورتي الحيوانية، صورة الشبّث، سيأمر الطبيب:

- اكسر ثلاثة من فكوكه. الاثنان الجانبيان والثالث من الأسفل.

- حضرة الأمير ماذا تقصد؟

عندها سيجيب الأمير باقتضاب:

- لا شيء. لا شيء. اكسر فكّه الأسفل فقط...

وسيحطّم طبيب الأسنان فكّي الأسفل بدون بنج ثم يغادر...

إبّان تنظيف المجاهدين للأرض من دماء فمي وأشلاء أسناني سيكرر أبو حذافة بتذلل طلبه من أمير البساتين:

- لماذا لا أذبحه حضرة الأمير؟ هذه فرصة تجعلني أصبح أميرا للحيّ. لقد بلغ عدد الرؤوس التي قطعتها 119 منذ شهرين. رأس واحد حضرة الأمير وأستحق الترقية!

وسيشتم عندها الأمير أبو حذافة:

- أكل خره ابن القندرة!

146

والتفافا على الكلمات النابية التي لا يجوز أن يتفوه بها رجل في مكانة أمير البساتين أمام رعيته، سيجد نفسه مضطرا لإلقاء خطبة تشرح نظرية الإبقاء عليّ:

- إخوتي المجاهدين! اسمعوا وعوا. وإذا سمعتم شيئا فانتفعوا! إنّه من فا.. سأخبركم لماذا لا أجيء لهذا الكائن الملعون برحمة السيف...

أمرٌ سيدفع المجاهدين للتوقف عن التنظيف والتجمّع:

- أمّا بعد.. فمادام هذا الكائن الرقيع، لا يخاف التعذيب الشنيع. ومادام يدرك أنّ الموت الفظيع ليس سوى صمت كالصقيع. ومادام غير هيّاب من أساليب العذاب ولا من طقوس قطع الرقاب، فعلينا أن نعرف علّة ذلك ونرسم له نهاية تناسب العلّة. موتٌ أدرد. وكيس أجعد. وعقرب أسود.

وستجدح عيناه:

- لِلَّذِينَ اسْتَجَابُوا لِرَبِّهِمُ الْحُسْنَى وَالَّذِينَ لَمْ يَسْتَجِيبُوا لَهُ لَوْ أَنَّ لَهُمْ مَا فِي الْأَرْضِ جَمِيعًا وَمِثْلَهُ مَعَهُ لَافْتَدَوْا بِهِ أُولَئِكَ لَهُمْ سُوءُ الْحِسَابِ وَمَأْوَاهُمْ جَهَنَّمُ وَبِئْسَ الْمِهَادُ.. الْقَارِعَةُ، مَا الْقَارِعَةُ، وَمَا أَدْرَاكَ مَا الْقَارِعَةُ، يَوْمَ يَكُونُ النَّاسُ كَالْفَرَاشِ الْمَبْثُوثِ، وَتَكُونُ الْجِبَالُ كَالْعِهْنِ الْمَنْفُوشِ، فَأَمَّا مَنْ ثَقُلَتْ مَوَازِينُهُ فَهُوَ فِي عِيشَةٍ رَّاضِيَةٍ، وَأَمَّا مَنْ خَفَّتْ مَوَازِينُهُ، فَأُمُّهُ هَاوِيَةٌ، وَمَا أَدْرَاكَ

ماهيه، نارٌ حامية... ابحث إذن عن موقع الضعف الشديد! فكل ابن حواء له مركز ضعف فريد. كان لأخيل كعب دقيق، وكان لشمشمون شعر رقيق. يوجد أيضا مارد عظيم الهامة، هائل الكاريزمة، لكنه ما أن يرى العقرب حتّى يولي الأدبار ويهرب، ويخسر هيبته كأيّ عبد أجرب. فإذا أردت أن تعاقب مثل هذا النمرود، عليك أن لا ترميه إلى الأسود. إنّ ذلك سيمنحه الإحساس بالرفعة والخلود. هل تفهمونني إخوتي المجاهدين؟ خذوا مني هذا الدرس المبين: ضعوا رأس النمرود في كيس واملؤوه بالصراصير وشدوا الكيس جيدا وانتظروا. راقبوا كيف ستولد رقصة للنمرود مع تلك الكائنات الوضيعة وكيف سيتحول إلى ولولة فظيعة تتلوها سكتة سريعة.. الدرس البليغ الثاني هو: إنّ درجة حرارة جهنم هي 60 مئوية، كما تعرفون، وبالنسبة للعراقي فهذه الدرجة من الحرارة ليست جحيما بتاتا. إنّها شيء يشبه الصيف. لهذا خلق الله الزمهرير للعراقيين يصيبهم بعذاب خطير. فجمّد المياه والصخور ألفا وألفين من الدهور حتّى ابيضّت الأكوان ثمّ انجمد الزمان واحمرت الشموس ثم اسودت فادلهّمت.. تأملوا معجزة الخالق يا إخوان: إنه يخلق شمسا زمهريرا مظلمة لا تضيء تكلساتها ولا تعتم طبقاتها. ولو تسرّب منها مثقال ذرة لتجمدت الأرض من ساعتها وما ذابت إلاّ بعد مليون سنة. ولو إنّ حارسا من حراس الزمهرير أطلّ على

أهل الدنيا لمات من فيها من زفير واحد له. ولو إنّ كسرة من كسرات الزمهرير وضعت في جبال الدنيا لارفضّت الجبال وما تقاربت إلى يوم يبعثون. في جهنم الباردة تلك يتساقط لحم العراقيين حتّى يستغيثوا بنار جهنم. لقد أوجد الله أيضا جحيما خاصا للبوذيين أيضا، وهو أن يأكلوا ليلا ونهارا لحم الثور الحيّ الذي أشركوا به الله. أمّا هذا (العنكبوت الشبّث) فما هو جحيمه؟ ما هو عقابه؟

وسيردّد المجاهدون كمن يكتشف المعجزات:

- نزال مع العقرب! نزال مع العقرب!

وسينهمر على رؤوسهم برؤى تعتبر الشبّث صنفا عنكبوتيا ملعونا رأى فيه الإغريق كائنا خارجا عن (طائفة) العناكب كحال إبليس بين الملائكة. فهو الوحيد الذي طُرد من مملكة العناكب لرفضه نسج بيوته في المغارات، وفضّل أن يهدم الغيران لا أن يحميها!

وسيعرّج على أساطير عن عنكبوت الشبّث مثل لدغته التي تقضي على 200 فيل دفعة واحدة ومثل لمسته التي تؤدي إلى انتفاخ جلد 70 ضحيّة وتخدير جلود الضحايا إلى درجة لن يشعروا بها أنهم يؤكلون عندما يبدأ بالتهامهم، ومثل هيئته:

- **الأشد رعبا من كائنات الأرض طرّا، وقدرته الهائلة على الجري التي تفوق سرعة الطائرات الأمريكية الشبح.**

وسيحكي كيف تعرّض الجنود العراقيون لهجومهم إبّان مكوثهم في خنادق الخطوط الأمامية أيام غزو العراق عام 2003:

- **فالعنكبوت الشبّث لم يأكلهم فقط، بل ولقد هدم الخنادق التي بنوها. والله وبالله ثمة اتفاق سري يربط الغزاة وتلك (العناكب العاصية) يتضمن أن تكون طلائعَ لجيش الاحتلالْ، تمكّنهم في الليالي الطوالْ، من تخدير مجاهدينا الأبطالْ، لِقاءَ التهامهم بالتمام والكمالْ.**

وسيشرح كيف أنّ الجندي العراقي لم يحارب القوات الغازية فقط، وإنما أضاف تلك السلالة العنكبوتية الطالعة من رحم الأساطير الإغريقية المسمّاة فلانجيون، وسيضيف على ذلك أساطير هجرة الأثيوبيين في (العهد السديمي) نتيجة ظهور الشبث الذي عاث بأجسادهم فسادا فولّى الأحياء منهم الأدبار إلى أرض الرافدين، وسيزيد على ذلك نظرية أنطون لختنشتاين التي ظهرت عام 1797 القائلة إنّ ما يشاع من أنّ الجرذان العملاقة تسببت بالطاعون في فلسطين أيام العهد القديم إنما كانت تجانب الصواب، وواقع الحال هو أنّ عناكب الشبّث هي من ظهرت بذلك الحجم المخيف حاملة على ظهورها مرض الطاعون، وسيختم تلك الأساطير بممارسات الجنود

الإنجليز أثناء الحرب العالمية الأولى وكيف كانوا ينظّمون مباريات قتالية بين الشبّث وعقرب البوثيدي وكيف كانوا يجتمعون في حلقة وسط المعسكر، وسيكون ذلك مدخلا إلى الحديث عن العقرب ككائن نقيض للشبّث (الإبليسي) وعدوه الطبيعي والتاريخي:

- **لقد قيل عن ابن ماجة عن أم المؤمنين عائشة (رضي الله عنها) إنّ عقربا توقف أمام إبهام النبي المصطفى وارتدّ على عقبيه وانكفأ. وقيل إنّ إبهام النبي المصطفى أوحى للعقرب وجعله يقول (أشهد أن لا إله إلا الله وأنّ محمدا عبده ورسوله) وأصبح موعودا بالجنّة، وارتفع من مرتبة اللا فقريات الحقيرة إلى مرتبة الأبراج السماوية الخطيرة. ومنذ ارتفع إلى مستوى النبوؤات أضحى كائنا موزونا هادئا ذا فؤاد نابض بالانفعالات والعواطف يعمل باندفاع، وشغف وإصرار للوصول إلى الحقيقة. إنه لا يكشف عن مشاعره علنا رغم أن بركانا يشتعل في قلبه. إنه يبرع في القيادة وحياكة الحيل. إنه عاطفي، عنيد، شجاع، صديق وفيّ، كتوم. جلّ ما يحبه هو الحقيقة والقول العادل، وأشد ما يكرهه هو الخيانة.**

وبناءً على تلك الخطبة الطلسمية الموشاة بالأساطير المفبركة سيتهيأ المجاهدون لأنّ يرموني إلى حلبة مصارعة مع العقارب:

- شريطة تهشيم فكوكه الخمسة أولا! فتلك هي الطريقة الوحيدة التي سيعيش فيها جحيما يدفعه للاعتراف أو الموت على أعتاب مقارض العقارب.

سيقول أمير البساتين ويضيف:

- بيد أنّه سيعترف! والله العظيم سيعترف. سيعترف يعني سيعترف! من فمه أو من مخرجه. ستخرج الاعترافات يعني ستخرج!

ثم سيتوقف ليراقب وقع ما حكى على المجاهدين قبل أن يأمر:

- هيئوا الصحن الطائر!

وبإيقاع غريب سيجرد المجاهدون غرفة أخرى من كل شيء. وبعد ثلاث ساعات من العمل سيولد فضاء جديد في قلب قلعة السؤدد. شيء بيضاوي صفيحي يحيل الناظر إلى صورة مركبة فضائية هجرها أهلها:

- ضعوه هناك!

نعم. سيكون الفضاء الجديد غرفة صفيح أرضها حجرية بين فطورها نطّتْ أشجار أقزام.

سيقوم المجاهدون بطقوس المباريات فيكممون الشباك الوحيد بستارة ثقيلة، ويضعون بيدي ورقة بيضاء وقلما، ويضعون قدحَ ماء وقفصاً فيه عقرب سيقشعر له بدني ما أن أراه.

سأغمض عيني!

سينتزعون عويناتي الطبيّة السميكة وسأسمع أمير البساتين ينصحني بهدوء جليل:

- إذا قتلت العقرب فسأقتلك. حياتك مرتبطة بحياته. وسيلتك الأولى لتخليص نفسك هي انتزاع شوكة السمّ من ذيل العقرب.. ولهذا الغرض أعطيتُك هذه الورقة البيضاء والقلم والقدح. وسيلتك الثانية هي أن تعترف وننتهي من الموضوع!! حازم كمال الدين: اسمعني جيدا! أنا أعرف أنك تكره الاحتلال الأمريكي من أيام حرب فيتنام وأعرف أنك وقّعت بدمك عريضة عنوانها (اخرج يانكي!).

وقبل أن يغادر سينهال عليّ بجولة ملاكمة جبارة لا تركّز إلا على ما تبقى في فمي من أسنان.

سينفرط ما تبقى من أسنان مختلطا باللعاب والدم وسأبتلع اثنين وأغصّ بهما وأسعل لكنهما ينجحان في الانزلاق إلى معدتي هربا من الالتحاق بالبركة الدموية الداكنة الملطّخة بالأسنان على أرض الغرفة.

بعد أن يغادر الجميع (الصحن الطائر) سأنظر إلى العقرب الذي سيخرج من القفص ويربض بيني وبين بركة أسناني.

إنّ لونه يتراوح بين الأسود والبني الغامق:

153

- يكذب من يقول لكم إنّ لدغة العقرب لا تقتل الإنسان.

كان قد قال أمير البساتين قبل أن يغادر الغرفة إمعانا في ترويعي:

- هذه الفصيلة من العقارب مختصة بقتل كبار السن والأطفال. طولها
10 سم. لها أربعة أزواج من الأرجل تنتهي بمقارض. ذيلها يتألف من
خمس عقد تنتهي بإبرة السم. في الإبرة تجويفان أنبوبيان ينتهي كل منهما
بكيس الزؤام. وهي لا تنفث السم إلا بناءً على عمر الطريدة.

بيد أنّ العقرب، ويا لدهشة أمير البساتين، لن يقترب، مني.

سيدبّ في (الصحن الطائر) ثم يتوقف. سيقترب من بقعة دم مرصّعة
بضرس مكسور يتشممها ويتوقف. لن يستشعر حركتي لأني جامد من
الرعب. سيقطع بمقارضه غصنا من شجرة متقزمة ثم يصفن. سيتحرك
تجاهي ثم يتوقف. سيشمشم بمجساته بقعة دم أخرى مخلوطة باللعاب
ويصمت. سيدير ظهره بهدوء وينكفئ تحت واحدة من الشجيرات الأقزام!

سيسأل المفكر أبو الجماجم الذي يراقبنا عن بعد سويّة مع الأمير:

- لماذا هربت العقرباء حضرة الأمير؟ هل ارتدّتْ احتراما لأجداده
الصالحين؟

بيد أنّ الأمير سيردّ بابتسامة مكبّلة بغضب جعل وجهه شبيهاً
بالبلاستيك أو القناع:

154

- العقارب لديها انتقائية في الفرائس يا غبي. يجب أن تفتح الفريسة شهية العقرب. أمّا هذا الكائن الشيعي الشبّثي فانظر له: لقد جعله خوفه ينضح خراء كأنّه مجرى مرحاض متآكل!

وسيتمتم أبو الجمجام مطأطِئ الرأس:

- أقصد باحترام أجداده الصالحين حضرة الأمير هو ما يقال عن ابن ماجة عن أم المؤمنين عائشة (رضي الله عنها)؛ إنّ عقرباء توقفت أمام إبهام قدم الرسول (ص) أثناء الصلاة. فشمشمته ثم أدارت وجهها ورحلت!!

هكذا ستأخذ عملية تعذيبي شكل موضوع للنقاش يردّ فيه عزّ الله أونلاين:

- هذا تحريف. يقال عن أبي هريرة (رضي الله عنه): لدغت النَّبِي صَلَى اللهُ عَلَيْهِ وَسَلَّمْ عقرباء وهو في الصلاة، فقال لعن اللهّ العقرباء، ما تدع المصلي وغير المصلي. اقتلوها في الحلّ والحرم.

إلاّ أنّ الأمير لن يأبه لانتحالات أبو الجماجم ولا لتحريف عزّ الله أونلاين. ما سيثير اهتمامه هو ملاحظة أبو الجماجم (هل ارتدّتْ العقربة احتراما لأجداده الصالحين؟)

***

بعد ساعتين من الجلوس أمام شاشة الرصد سينتاب الأمير الضجر. لا حركة على الإطلاق. وكأنّني امتنعت عن التنفس وكأنّ العقرب غطّ في سبات. بعد سبع ساعات سيأمر الأمير بانتزاع العقرب الكسول من تحت الشجيرة واستبداله بعقرب لم أر مثله في الصور أو الأفلام:

- **هذا العقرب العملاق هو أخطر العقارب في العالم. إنّه البوثيدي.**

بسعادة سيشرح الأمير من مكانه في غرفة الرصد بينما يتسرّب صوته من سماعات خفية إلى حيث أنا والعقرب:

- **وزنه حوالي 200 غرام. أنتم لا ترون لونه الآن لأنّ عزّ الله أونلاين وضع كاميرات ليلية. لكنّ جسده في الواقع أصفر بنيّ مجسّاته صفراء بنيّة وعقدة ذنبه الأخيرة كذلك. اشتراه أبي عندما كان عقيدا في فدائيي صدام. إنّه لا يأكل إلاّ من لحم إنسان تتذوقه مجساته عن بعد. فحاسة التذوق عند العقرب، كما قد لا تعرفون، كامنة في المجسات! إنّه**

- **عقربٌ قوي! طوله 12 وعرض صدره 3 سم. بينما القلم الذي أعطيته للكائن الشيعي أصغر من العقرب.**

وكمن يقرأ من صفحات كتاب سيواصل الكلام بلا سجع هذه المرة ولا كلمات هجرها الزمن:

- رأسه وصدره قطعة واحدة في مقدمتها اثنتين من أرجل غليظة مزوّدة بمقارض. جسمه محاط بأربعة أزواج من أرجل مسلّحة بمقصات. له ذيل من خمسة عقد تنتهي بشوكة. في شوكته تجويفان مصبّهما كيس من السم. صفاته الأساسية أنّه كائن لا يرى ويعتمد الهواء مصدرا للنظر، ذبذباته واهتزازاته وحركاته، ومجسّاته لتحديد هوية واتجاه العدو. تمتلئ أرجله الثماني بأشواك حسيّة دقيقة تلتقط حتّى اهتزازات الهواء الساكن. إنّه كائن يختبئ نهارا بين الصخور والحصى والنباتات الجافة وتحت الأنقاض ويظهر في الظلام بحثا عن الفرائس. انتبه لي: إنّ فداحة سمّه لا تطاق إذا كانت مقارضه ضعيفة. يتكوّن سمّه من مواد تضرب الجهاز العصبي فتؤدي إلى إسهال، وقيء، وانهيار دموع لا إرادي، واضطراب في التنفس، وهبوط في القلب، وحمّى، وارتفاع ضغط الدم أو هبوطه، وتزايد في التعرق أو جفاف، وسيلان لعاب. من ألدّ أعدائه، بالإضافة إلى أبناء جنسه، عنكبوت الشَّبَث: **Camel Spider**. وهذا العنكبوت ضخم طوله 18 وعرضه 5 سم يختبئ نهاراً في الجحور أو في الشقوق ويخرج ليلاً للصيد. إنّه شرس الطباع وله خمسة أزواج من الأرجل: زوج أمامي قوي لتكبيل الفريسة، وزوج جانبي لتحديد موقع الفريسة، وثلاثة أزواج للتنقّل. وله أربعة فكوك فولاذية تتحرك أفقياً وعمودياً، وهي الفكوك الأقوى في كل مملكة الحيوان.

كلّ ما يحتاجه للقضاء على العقرب هو أن يبتر شوكته بضربة فك خاطفة. نزالهما من أمتع النزالات لمن يحب الحروب. فإذا التقيا في معركة سيتصاعد تراب الأرض كغيمة رملية تندفن فيها جحور وتنكشف فيها مغارات، تتكسّر سيقان وجذوع أشجار وتنطلق روائح أحراش يابسة. وسيصدر دخان ملوّن قادم من أنابيب، وسوائل كثيفة أو خفيفة مجراها أقنية ومجسّات شعرية تهتز كغابات ترقص. تنتهي المعركة لصالح الشّبث إذا انقضم ذيل العقرب، وإلاّ فمصير الشبّث الخسارة إن شاء الله والرحيل إلى شقّ في الجحيم.

سيبحث العقرب في الظلام الدامس عن شيء يأكله. أقصد إنّه سيبحث عني. وسيهيمن صوت أمير البساتين عبر صناديق الصوت:

- ستنتقل عبر الهواء رائحة تعرّق الشبّث البشري، وسيستشعر العقرب مكانه! راقب ما سيحدث: عز الله أونلاين، قرّب الكاميرا... زووم إن!

في نفق الحلزون

تراني في (الصحن الطائر) أم في النفق أم في تجويف؟

رغم الظلام العميق أرى أنّني قادر على الرؤية.

النفق يعيد تشكيل نفسه وكأنّه تكرار للصحن الطائر والعقرب.

العقرب يستشعر تعرّقي.

تتهيج أطرافه ويترنح نشوانَ من لذة رائحتي.

أحسبُ أنّ أمير البساتين يستخدم كاميرات ليلية لمراقبة ما يحدث لي في النفق الآن أيضا.

لن يشعل ضوءا في النفق وإلاّ سيخدش هيبة الظلام.

أنا ساكن كحجر مرصوف في مغارة في جبل.

بيد أنّ الحر الجهنمي يدفعني للتعرق ويفضح سكوني.

لن أضمّد فكّي بقطعة القميص التي مزقتها للتو.

سأجهد نفسي لكي لا أتأوه.

أنا في النفق الحلزوني أم في غرفة التعذيب؟

تنتاب النفق نوبة صمت لم أعهدها من قبل!

أتهجّس في الظلام هربا من العقرب.

حركاتي لا تكاد تبدو كمن يتحرك.

عضلاتي الداخلية والاسترخاء والتوتر في العضلة هو الذي يحركني.

بيد أنّ العقرب ذكي!

إنّه يتبع ارتداد أو رجع صدى حركتي على الأرض.

أرى بقايا دمي المتيبس على الأرض وأشمّ رائحة تعرقي.

يقفز العقرب فجأةً عليّ.

أنا الذي صودرتْ عويناته الطبيّة أرى لونا أصفر شاحبا مثل ومضة نور تمرق في آخر النفق.

أهرب من ومضة النور القادمة صوبي.

تسطع الومضة الصفراء من جديد.

أزوغ بقفزة مرتبكة.

يلتقط العقرب صدى حركتي من الأرض فيدبّ مرة أخرى.

أهبّ مسربلا بصرخة رعب.

تدبّ الومضة الباهتة الصفراء صوبي.

160

أبحث عن ظلام ساطع.

أكتشف درفة باب في (الصحن الطائر).

أدير أكرتها.

ينفتح الباب.

أدلف وأوصد الباب بقوة رنانة.

أنا في حجرة معتمة غاية في الضآلة.

- مخزن؟!!

أتساءَل.

حفرة إسمنتية تتوسطها طابوقة كبيرة وأخرى أصغر.

تلتوي قدمي وأكاد أن أنزلق في الحفرة فأتشبّث بالحائط.

تصطدم يدي بعصا خشبية طويلة مدورة.

تلامس قدمي إبريقا بلاستيكيا فارغا:

- دورة مياه!!

أحكم إغلاق الباب مرة أخرى وكأنّي لم أغلقه.

أتهجّس دورة المياه بقدميّ.

روائح جافة وعطنة.

عندما تعتاد عيناي على الظلام، أشاهد ما يشبه الشقوق في الحائط.

أرى حنفية اسودّت من الصدأ إلى جانب حفرة التواليت.

مغسلة تعلوها مرآة كبيرة صدئة يتسرّب لها ضوء من مكان خفي!

تتشوّه الأبعاد في المرآة، أبدو لنفسي مثل كائن خرافي.

أشيح ببصري عن صورة نفسي.

أتسلّق الحنفية بجانب حفرة المرحاض.

تتهشم الحنفية بسبب ثقلي وينهمر الماء.

أزداد هلعا وكأنّ الماء عدوي وبخاصة تدفقه المدوي بطريقة لا تتناسب وشحّة المياه في بغداد.

أتشبّث بمغسلة مثبتة على الحائط تحت المرآة وأنزوي فيها.

تنثال رائحة قوية من التواليت التي يبدو وكأنّها كانت جافة منذ فترة.

فجأةً تصيب عينيَّ قوةٌ غير متوقعة فتعود لي قدرة النظر بلا عوينات طبيّة.

أراني أدور في دوامة الحلزون الذي ينتج تجويفا -جديدا.

صوت (جديدو) ينضح من مسامات التجويف؟

تجويف حادي عشر في النفق..
صورة الشبّث

فات أمير البساتين أن يضع كاميرا ليلية في دورة المياه ولم يتمكن من مراقبة ابن حفيدي الأعز عندما وجد لنفسه مخبأ في دورة المياه. لقد كان اكتفى بتوزيع الكاميرات في زوايا (الصحن الطائر) وسقفه.

ولتفادي ذلك الخطأ أرسل أبو حذافة لينتزع ابن حفيدي الأعز من التواليت. فدخل الأخير (الصحن الطائر) بعد أن عبّ أكثر من نصف زجاجة ويسكي ومضغ علكا واستخدم عطرا وارتدى زيّا مضادا للّدغ ونظارات مخصصة للرؤية في الظلام.

بهدوء الموتى مشى حتّى وصل باب دورة المياه.

العقرب رابضٌ متأهبٌ مجساتُ استشعاره تعوم بسكون في الهواء حتّى ليخيّل للمرء أنّه نائم. فتح أبو حذافة باب دورة المياه فرأى ابن حفيدي

الأعز متكّورا في حضن المغسلة والقلم بين أسنانه وهو ينشّ بالورقة البيضاء يمينا ويسارا كلّما توهّم أنّه رأى شعاعا أصفر.

قال أبو حذافة للأمير بعد أن اقتلع حازم من المغسلة ورماه مجدّدا في (الصحن الطائر) وفرّ من وجه العقرب:

- **بدا لي يا حضرة الأمير كعنكبوت عملاق وهو في تلك الوضعية!! لونه مصفرّ. القلم يتوسّط وجهه. خدّاه محاطان بشيء مثل خرقة أو ورم كبير جعلني أشعر وكأنّ رأسه أضخم من جذعه. وبسبب المرآة التي شوهّتْ رأسه انتابني شعور وكأنّ في فمه قوائم بارزة.**

- **تقصد فكوكاً بارزة!.. وظهره؟**

صاح أمير البساتين وثبّت صورة الشبّث في رأسه:

- **مقوّس. كانت مؤخرته مرتفعة كمؤخرة حشرة خرافية.**

- **متأكد؟**

- **نعم والله! لقد ظننت في البداية أنني أرى أحد عناكب أفلام الخيال العلمي.**

أعاد أمير البساتين الأسئلة على أبو حذافة وهو في غاية الحماس والإحساس بالظفر. وبعد تأكيدات أبو حذافة المتكررة عاد إلى تمتمته الوقورة الهادئة:

- هذا يعني أنّك رأيت شبّنا بشريا بثلاثة أزواج من القوائم: واحدة أرجله، والثانية يداه، والثالثة فكّاه.

- نعم!

- والقائمتان الأخريان؟

- ماذا تعني حضرة الأمير؟

فلم يعلق الأمير. إنّما عاود مراقبة ما يحدث بين حازم والعقرب من خلال الكاميرات الليلية. فقد تملّكته في تلك اللحظات عادة المراقبة القديمة التي يعتبرها نوعا من التماهي أصوله في الحلقة الصوفية التي طُرد منها ذات يوم شرّ طردة.

حفاد.

ن هذه الترهات!

حازم كمال الدين السفّاح.

خالد كمال الدين السفّاح.

حراش وزغابات أختبئ بين أشنات تشكّلتْ بهيئة تلّة صخرية.

الكهل العقرب يخترق الصخرة أو يتسرب من خلالها وينضح

جحرا فيباغتني عقرب كبير وجهه وجه إنسان،

بيه بسوط غليظ،

صه الأمامية كماشات لجرافات كبرى،

مغلقتان ولكن زائغتان،

ناه بيضاويتان،

باه ناعمان،

ـة رأسه لامعة.

في النفق الحلزوني

هل توقف تسرّب صوت، (جديدو)؟

ما هذا؟

(الصحن الطائر) أم الحلزون؟

ثمة ما يقبض روحي أكثر من كل ما سلف!

النجدة!

أكاد أموت من الخوف.

النجدة!

اسمي حازم كمال الدين السفّاح!

أنا لا أستطيع أن أمشي إلاّ بحذر هائل وأنا أتحسّب لتحركات العقرب.

أرسل حركاتي باتجاه وأهرب باتجاه آخر.

يردّ العقرب بعد إصغائه لموجات الهواء التي أرسلتها أو لارتجافات الأرض ذاهبا صوب ذبذبات الحركة.

إنّني أرى بوضوح تام رغم الظلام

بشيخ كهل خرج من جحر صحراوي.

الشيخ الكهل قزم أصفر.

ماذا يحدث؟

يجللني بياض لا يضيء أيّ شيء في الدجى

هل هذا هو ما يسميّه العلم بسكرات الموت

النجدة!

أما من أحد يساعدني؟

أكاد أموت فرقا من الرعب.

النجدة!

اسمي حازم كمال الدين السفّاح!

أنا الحفيد الأخير للجدّ الأكبر حمد الحمود السفّ

الذي نزح من آشور إلى بابل.

لا بل أنا حفيد ذاك الجد الذي قهر العقرب في مخدع

لا بل أنا رجل من بابل ستوافيه المنيّة بعد أن يخسر

الضروس البالغ من الطول تسعة أمتار ومن العرض مترين

لا أنا البطل الذي كاد أن يقهر الطنطل في مثلث الموت.

أنا آخر الأ

لا.

لا أريد ك

أنا لستُ

أنا عمّي

إنني في

الشيخ

أمامي.

أدلف

ذنبه ش

مقار

عيناه

وجن

شار

جل

تجويف ثاني عشر في النفق..

ذات لحظة طوّح ابن حفيدي الأعز بقطعة ملابس ماعاد يطيقها في ذلك الحر فدبّتْ اليقظة في العقرب. استشعر ارتدادات صخيرات الغرفة حيث كانت قطعة الملابس تتساقط واتجه إلى المكان.

فتحتْ رائحة العرق والتبخر طريق الأمل أمام العقرب.

مسترشدا بالغريزة التي تفيد أنّ ضحيته حشرة بدائية مثله أوقف حركته تحسبا للمفاجآت. وفي لحظة مناورة تكتيكية معروفة للعقارب لدغ القميص بصورة مفاجئة فلم يكن للقميص أيّ رد فعل سوى مواصلة طريقه للاستقرار على الأرض.

هجم العقرب على القميص وأشبعه لدغاً ورفساً فتنهّد حازم كمال الدين وعرف أنّه وجد طريقا للتعامل مع العقرب. قرّر أن يخلع ملابسه تدريجيا لاستخدامها عوائقَ ضده، وتذكّر ما كان يشاهده في الأفلام الحربية من تقنيات الخدع العسكرية. خلع فردة حذاء ورماها إلى مكان بعيد فشمشم

العقرب الحذاء. قضم جزءا من الجلد وحين اكتشف أنّها فردة حذاء طار صوابه ودار حول نفسه ودار ودار بحثا عن حازم.

ولما قارب العقرب مكان ابن حفيدي الأعز رمى الأخير قطعة ملبس أخرى إلى زاوية بعيدة فدبّ العقرب إلى هناك لكنّه اكتشف أنّ ما ظنّه فريسة ليس سوى حركة تنتج تبخّرا هوائيا وارتدادا أرضيا وتتوقف. ولم تشعر غرائزه برد فعل للضحية.

هكذا تشبّع العقرب الأصفر بالغضب والشعور بأنّه سجين وبأنّ الفريسة جلاده وكاد يصيح:

- **أنت متكبّر! أنت حقير! سألدغك! والله العظيم ألدغك! أنت زنزانة سجني ولست فريستي. سألدغك وأقتل قضبان سجني!**

وراح يحدد رنين دبيب الفريسة واتجاهاتها وكادت تقتله الغيرة إذ أدرك أنّ غريمه يمتلك عيونا بينما هو أعمى.

وحين شعر حازم أنّ العقرب يتقدم من جديد مزّق ساقاً من بنطاله ورماها بعيدا فغيّر العقرب دبيبه صوب كومة الهواء التي هبّتْ.

وإبان تقدمه من ساق البنطال خمد الهواء وتعطّلت إشارات التلقي.

ضرب الأرض بشوكته فرنّ الحجر.

خلع حازم الساق الثانية من البنطال وقذف بها بعيدا.

دبّ العقرب صوبه.

خلع حازم الفانيلة ورماها.

مشى العقرب.

خلع جورباً وطوّح به.

ثم جورباً آخر.

خلع لباسه الداخلي ورماه فوق العقرب فأحس العقرب بدبيب حياة في اللباس الداخلي. فحرارة ورائحة الأعضاء الحميمة بعثتْ في العقرب إحساساً بأنّ ما أمامه، أخيرا، فريسة يمكن اصطيادها.

صحا الأمير بغتةً من نشوته الصوفية وارتعد من وقاحة ابن حفيدي الذي سمح لعورته أن تدنّس عدسات الكاميرات.

بيد أن ابن حفيدي الأعز كان على العكس من أمير البساتين. لقد شعر أخيرا أنّ تعريه هو الطريق الذي سيجعله يسيطر على قوانين لعبة العقرب والإنسان.

تغوّط في مكان ما، فهرول العقرب بحيوية. تبول في مكان آخر فركض العقرب من جديد. تبول في القدح فقفز العقرب ولدغ الزجاج بذيله حتّى سقط القدح وانكسر، فأصيب العقرب بالهستيريا. كظم أمير البساتين غيظه وهو يرى تصاعد أجواء القتال.

التخوم

الأمر واضح أخيراً.

صوت (جديدو) يتفتت ويصبح هشيما تذروه الرياح.

أنا أقترب من نهاية النفق.

شعاع التخوم نور يتلامع على ظهر العقرب.

أجنحةٌ لمّاعة تنبت للعقرب.

إنّه يطير.

يتكاثر في الطيران فيستحيل سربا.

أنا محمولٌ على ظهر السرب حتّى مخرج النفق.

ينفلتُ السرب من النفق.

يبلغ جبلا يرتفع حتّى كبد السماء وينحدر حتّى بطن الوديان[1].

يحلّق صوب القمة.

1- انظر ملحمة جلجامش.

القمّة قبّة في السماء، والسفوح وديان تحفر أخاديدها صوب أعماق العالم الأسفل.

يرميني السرب من علٍّ.

يتلقفني رجال أفاع يبعثون الهلع حتّى في الرميم.

يكبلونني ويدحرجونني في طريق هابط ينشطر إلى ممرّ يهبط صوب الوادي العميق وآخر يؤدي إلى فوهة غار.

يبهتُ لون وجهي.

أطالع الجبل الشاهق بينما أقترب من مفترق الطرق:

ثمة (طنطل) يسألني إن كنتُ -حقا من أحفاد الحسين بن علي بن أبي طالب.

أجيبه أن نعم!

أجيبه أنّ ثلثيَّ إله وثلثي الباقي بشر.

يسألني وجلا عن سبب قدومي.

أخبره أنّ الأمريكان قصفوا سوقا شعبيا بغداديا كنتُ أتبضع فيه فاستحلتُ أشلاءً.

الطنطل لا يصدقني.

أمر يضطرني أن أشرح له الاحتمال الثاني لموتي.

أتناول قصة صديقه أمير البساتين الذي قطع رأسي وأحال الباقي سمادا للنخيل.

الطنطل لا يصدقني.

إنّه يرى فيّ نساجا لقصص خيالية.

ولأنني (حالم) كما يرى يدحرجني إلى فوهة الغار.

إلى أعماق الغار!

لا نور.

أتدحرج سبعة أيام ثم أربعين يوما.

لا نور.

أتدحرج حولا ثم حولين.

لا نور.

دوار شديد واختناق وغثيان.

لا نور.

كيف أوقف التغلغل والعودة؟

أتدحرج ستين قرنا أحسّ بعدها بريح تلطم وجهي.

الظلام مازال دامسا وأنا أتدحرج وأتدحرج وأتدحرج وأتدحرج.

من بقعة ما ينبت ضوء.

فرح غامض يتأرجح.

بحر لازوردي.

حوت يبتلعني فأجدني مجددا في (الصحن الطائر) وأنا أضرب العقرب.

ممنوع أن أنال مقتلا من العقرب وإلا سيقتلني أمير البساتين.

ومع ذلك.. أنا أضرب العقرب بواحدة من الحصى الثلاث وأضرب.

ما أن تلامس ضربة قوية قحف العقرب حتّى أراني ملفوظا خارج بطن

الحوت!

تجويف ثالث عشر؟

نهاية النفق الحلزوني..

أمام البوابة

أنا في الطريق إلى الشمس.

ظلام دامس رغم سطوع الشمس!

لا نور يلفحني.

نهارٌ شمسيٌّ مظلم يمرّ.

غروب يبزغ ينبثق من أحشائه سور عظيم.

مقهى عند مدخل السور.

صاحبة المقهى محاطة بسبعة عماليق يحرسون المدخل.

صاحبة المقهى تتفرس بي.

صاحبة المقهى تصدّني.

أسألها عن السبب فتزعق بي:

- **ماذا جئت تفعل أيها الإرهابي المنتصب الشعر كأشواك القنفذ.**

أجيبها بأنّي لست إرهابيا، وبأنّي منتصب الشعر رعبا مما أرى:

- **تكذب!**

تقول لي.

أجيبها بأنّي لا أكذب!

بأنّني لا أدري لماذا أنا هنا.

بأنّ كل ما أعرفه هو أنّ مصير البشر أدركني، وأنّ أبي امتنع عن تسليمي إلى المثوى الأخير، وظلّ يسجّي أشلائي في حضنه أياماً وليالِيَ حتّى بدأ الدود يتساقط من أنفي:

- **انظري! الدود مازال يتساقط من أنفي.**

صاحبة المقهى ترد بلا دبلوماسية:

- **تكذب! أنا لا أرى دودا يتساقط من أنفك.**

أتوسلها أنّ تصدقني، وأستميحها الدخول، فتقذفني بكلمات تبللّها الريبة:

- **وماذا تريد أن تفعل إذا دخلتْ؟**

- **لا أدري! لستُ من قرّر وجودي هنا.**

أسألها فيما لو أنّ عليّ العودة من حيث أتيت، فتتنفس الصعداء:

- نعم.

عد من حيث أتيتْ.

....

لديّ وصايا بمنع العراقيين من الدخول.

أسألها بعد صمت:

- هل العراقيون مكروهون حتّى في الآخرة؟

- لديّ تعاليم تقضي أن لا أفتح البوابة لأيّ انتحاري.

- أنا لستُ انتحاريا.

- تكذب.

- أنا لا أكذب!

- وماذا في يدك إذن؟ أليستْ شظايا متفجرات؟

- لا. إنّها ثلاث حصىً أودعها عندي هدهد الأهوار وطلب إيصالها إلى أمّه.

- همممممم..

بعد صمت تباغتني بسؤال:

- لقد كنتَ تردّد طوال الطريق إلى هنا أنّك آخر الأحفاد. لماذا لم تذكر أبناءك أو أجدادك؟

- **صحيح! لماذا لم أذكرهم؟**

أسأل نفسي.

كمن يتبول لا إراديا على نفسه أشرع في الكلام.

أخبرها أنّني آخر الأحفاد لأنّ عائلتنا تعرّضتْ للإبادة، لكنها تحدجني بنظرة من يرى أفّاقا.

أحكي لها أنّ السلطة ألصقت بظهرنا تهمة الضلوع بمحاولة اغتيال الديكتاتور، بيد أنّها تنظر لي شزرا.

أعترف بأنّ السلطة استثنتني وأبي من الإبادة الجماعية، فتنظر لي شزرا!

أبرّر أسباب استثنائنا من الإبادة، فتنظر لي شزرا.

أوضّح أنّ السلطة كانت تفكر بطريقة مخابراتية معقدة، فتنظر لي شزرا.

أقسم لها:

- **لقد أرادتْ السلطة تسخير العداوة الصامتة بين أبي وعمي لكي تنتقم من أبي!**

تعلو قهقهاتها وكأنّها تقول لي إنّني أتهرب من ذكر وسام الجمهورية الذي منحوني إياه في اليوم الذي أعدم فيه عمّي.

أرفع صوتي:

- السلطة قتلت عمي وبقية رجال العائلة لتحمّل أبي وزر الدماء المراقة!

تسألني بسخرية:

- وهل كانت ما تسميه (السلطة) مهمومة بأبيك إلى هذه الدرجة؟! ماذا كان موقع أبيك؟ وزير؟ قائد عام في الجيش أو المخابرات؟ أم هو عالم آثار؟

- كان أبي أهم عالم آثار في البلد! لقد استقبله الديكتاتور بنفسه!

- إنّني أسألك عن نفسك لا عن أبيك!

أرتبك.

أصرّ على تجميع قصة إبادة العائلة دون التعريج على وسام الجمهورية الذي منحوني إياه يوم إعدام عمّي.

أحتار في كيفية لملمة الأحداث وتجنّب قصة الوسام.

ينفرط عقد الأحداث، تصير أشلاءً عصيّا جمعها.

أنكبّ على ترتيب القصة بلا وسام الجمهورية زائغا من تحويلها إلى خرافة عائلية كما درجتْ أسرتي.

أكرّر بكلمات تفتقد قوة الإقناع:

- لقد أرادتْ السلطة أن تعاقب أبي بما هو أشدّ من الموت؛ أن تحيله وتحيل ما أنجبَ إلى جثّة حيّة نتنة. صدقيني! لقد قرّبت أبي وكرّمته في الوقت الذي ألقت فيه القبض على أخيه خالد وأعدمته. أبي لم يكن فعل شيئا يستحق التكريم. نعم! لقد قتلوا عمي وكرّموا أبي!

تتقد ذاكرتي بنيران الانفعالات وتلبد روحي في بئر الشعور بالعار لأنّي لم أذكر وسام الجمهورية الذي منحوني إياه يوم إعدام عمّي.

أحسّ أنّ عليّ إبعاد الشبهات عن مسؤولية أبي ومسؤوليتي المفبركة عن موت عمّي خالد.

ولكن كيف؟

هل أعرّج على الموضوع أم أحوّل عمّي إلى أسطورة عائلية جديدة؟

أغضب من نفسي!

أنا لست مسؤولاً عن مقتله، ولا أؤمن بخرافات العائلة.

بقوة يهيمن بغتةً صوت (جديدو) على ما يحدث!

(جديدو) يحكي مع صاحبة المقهى:

القرين صديق الطفولة

- لم يكن عمّه خالد سوى ضابط إعاشة فبركوا له تهمة لا تتناسب مع وظيفته في الجيش. إذ لا يمكن لضابط مسؤول عن تموين وحدة عسكرية تبعد مئات الكيلومترات عن العاصمة أن يظهر فجأة على رأس دبابة حربية ليقود استعراضا عسكريا في بغداد. لا قوانين الجيش تسمح بذلك، ولا وظيفته ولا المسافة بين وحدته العسكرية والعاصمة. ومع ذلك فبركتْ رواية النظام الرسمية قصة تقول إنّ عمّه خالداً خطّط لمحاولة اغتيال رئيس النظام في ذلك الاستعراض العسكري وجنّد لتلك الغاية أبناء العائلة العاملين في سلك القوات المسلحة. كانت الرواية الرسمية من الغباء بمكان أنها ذكرتْ تواجد 13 رجلا من أبناء العائلة في المحيط المفترض لمحاولة الاغتيال، وأعلنتْ الحكم عليهم بالسجن المؤبد، بينما لم تتحدث عمّن قالت إنّهم قاموا بالمحاولة. لقد اكتفتْ بذكر اسم عمّه خالد كمال الدين كقائد للمحاولة، وعتّمتْ على حقيقة أنّ النظام اعتقل 53 أخضعهم لشتى صنوف

التعذيب بغية انتزاع اعترافات تدين عمّه خالد كمال الدين بالتخطيط لمحاولة الاغتيال المزعومة. سأسرد الوقائع التي أدلى بها أحد ضباط المخابرات حتّى ولو بدا ما أسرده شبيها بخرافة عائلية جديدة. ذلك أنّ الضابط الذي أعلن توبته بعد عام 2003 كان حاضرا في اجتماع عقده رئيس النظام مع مجمع الآثار العراقية بغية إعلانهم المباركة على قرار اتّخذه بنحت اسمه على أحجار أسوار بابل. وطرح في الاجتماع سعدون كمال الدين سؤالا عن كيفية الدفاع عن أصالة الآثار إذا نُحت عليها الاسم. سؤال أنزل على الديكتاتور غضبا هائلا أخفى معظمه ريثما ينتهي الاجتماع. وما أن انفضّ الاجتماع حتّى ظهر رجال مخابرات بسيارات خاصة انتزعوا خالداً و 53 رجلا من بيوتهم وجلبوهم إلى العاصمة وحشروهم في زنزانة عديمة المنافذ مساحتها متران مربعان، وأخضعوا خالداً لتعذيب لا تحلم به جهنم. وفي نفس الليلة نقلوا 13 منهم إلى مكان مجهول وردموا زنزانة الباقين بالطابوق والإسمنت وهم أحياء. إنّ السبب الحقيقي وراء دفن عمّه خالد والآخرين هو سخط الديكتاتور على أبيه سعدون كمال الدين الذي تجرأ وأبدى ملاحظة (دبلوماسية) تمسّ قرار نحت اسمه على أحجار بابل الأثرية.

(جديدو) يهيمن على كياني.

تهزّ صاحبة المقهى رأسها بسخرية وتردّ على (جديدو):

- عمّه خالد و 40 رجلاً حشروا في زنزانة مساحتها متران مربعان! سأفوّت هذه الكذبة! وماذا عن الـ 13 الذين حكموا بالسجن المؤبد وأطلق سراحهم بعد التاسع من نيسان عام 2003؟ هل هم موتى أيضا؟ ومن هم أحفاده الكهول الذين سيذهبون إلى متعهّد الدفن طالبين صناعة تابوت لا يتجاوز طوله خمسة عشر سنتيمرا لكي يدفنوا قطعة من كفنه ومن كفّه ذات الاصبع المقطوع في مقبرة النجف؟ وما علاقة هذا الجواب الخرافي بسؤالي؟ سؤالي بسيط وواضح: لماذا يقول إنّه آخر الأحفاد، وهؤلاء الـ 13 مازالوا على قيد الحياة؟ لقد منحته الدولة التي يسمّيها (السلطة) أرفع وسام في البلد في نفس اليوم الذي أعدم فيه عمّه! لماذا؟

يتلعثم (جديدو) بالجواب!

أنا أختنق في لجج العار!

صوت (جديدو) يقول:

- كيف سأقنعك ببراءة ابن حفيدي الأعزّ؟ دلّيني على طريقة نزيهة! كيف سأقنعك بأنّ منحه وسام الجمهورية يوم إعدام عمّه كان عقابا حوّله إلى جثّة تمشي على قيد الحياة لأكثر من عقد من السنين؟ لقد رفض علنا استلام الوسام وشتم أولئك الذي جرجروه إلى الصالة حيث طقوس تسليم الجوائز وكادوا أن يقتلوه على ما تفوّه به هناك لولا القرار الغامض بإبقائه

على قيد الحياة. كيف سأقنعك بأنّ النظام قتله في ذلك اليوم أكثر من مرة؛ مرة إذ شوّه فيلمه ومنحه وسام الجمهورية، ومرة إذ أعدم عمّه، ومرة إذ كرّم أباه؟ هل ستفهمين ما أعني إذا قلت إنّ تلك كانت سياسة مدروسة لدقّ أسافين أبدية داخل المنظومات الأسرية في العراق؟ سياسة تحويل العائلات من كيانات مترابطة إلى أشلاء مشدودة إلى بعضها البعض بحبال الكراهية؟ هل ستصدقين إذا قلت إنّ تلك كانت سياسة عامة اعتمدها النظام وما عائلة كمال الدين السفاح سوى شاهد عيان على نجاح تلك السياسة؟

أسمع قهقهتها وهي تردد:

- الكذابون فقط هم من يلفّون ويدورون حول الإجابة.

تجويف أمام باب المقهى

ابن حفيدي الأعز في (الصحن الطائر).

ما أن ضرب العقرب بواحدة من الحصى الثلاث التي ظلّ يحمل حتّى ارتطم العقرب بالحائط وترك أثرا مطبوعا هناك. ضرب ابن حفيدي العقرب السكران بالحصى الثانية إلاّ أنّ العقرب غاص في فطر الأرض ثم ظهر مجددا من فطر آخر. طارده حازم بالملابس والروائح والغائط والبول من فطر إلى جحر إلى درفة باب إلى شباك حديدي حتّى اندلعت مطاردة أوصلتهما إلى زاوية ميتة في الغرفة حيث لا فطرٌ ولا هم يحزنون. أمسك حازم بالحصاة الثالثة واستعد للضربة القاضية.

حذّر المجاهدون ابن حفيدي بالميكروفونات من مغبّة قتل العقرب السكران. صاحوا أنّ عليه أن يفكر. أن يثوب لرشده. أنّ عليه أن يعترف. أنّ (تقيّة الشيعة) لم تعد تنفعه فقد كشفتْ الحصى الثلاث أمره! إلاّ أنّ حازماً أصرّ:

- والله لا أعرف أي شيء. لا تقيّة ولا سعدية ولا كس أخت البقية.

هل هي كارثة أني توقفت عن شرب الخمور؟ أطلقوا سراحي وسأعود للخمور. سأعود والله رغم أنف مرض السكري. سأعود يعني سأعود! سأمضي سأمضي إلى ما تريد.. عرقٌ مرٌّ وپاچهْ وثريد!

وحين تراءى للعقرب أنّ همهمات المجاهدين تدور حول الجدران وشمّ روائحهم النافذة من وراء الجدران وسمع صراخهم القادم عبر الميكروفونات ظنّ أنّه يسمع الهرج الذي يسبق لحظات حسم المعركة. فدار حول نفسه ودار، واسترجع حازم الحصى الثلاث ودار حول نفسه ودار، وصارا يدوران حول نفسيهما ويزفران. حازم يزفر هواء ساخنا ويطقطق بالحصى بينما العقرب يقرع الأرض بذيله الصلب فيرنّ الحجر وكأنّه يتكلم.

وكان أمير البساتين مشدودا إلى المشهد.

احتشد المجاهدون حول شاشات التلفزيون لمتابعة النزال بين العقرب والرجل وهم مأخوذون بدوران الاثنين حول نفسيهما وحول بعضهما البعض، ومأسورون بخدع العقرب القتالية وكيف يختفي تحت حجر ثم يظهر من خرم ويغوص في فطر ويطلّ من صدع، وكيف تخون ابن حفيدي إمكانية الرؤية وتضيع قدرته على التمييز بين العقرب وبين نبتة طالعة من شقّ في الصخور.

في عراء الغابة

سعدون السفّاح

أنا أمام صاحبة المقهى بانتظار ما تقرره لي.

تسألني عن اسم أبي بالضبط.

صوت (جديدو) يتغلغل فيّ.

صوت (جديدو) ينطلق متسلّقا شجرة الأنساب:

- اسم أبيه سعدون بن عبد الحميد بن نزّال بن محمد بن هشام بن عبد الهادي بن عبد الرزاق بن حمد الحمود كمال الدين.

تهمهم صاحبة المقهى:

- هممم..... جدّه عبد الحميد الذي تزوج من عروس ابنه؟ وجدّه الأكبر حمد الحمود الذي ذبح الديك؟

أنفجرُ بالنشيج:

- فضائح أجدادي لا علاقة لي بها. تحدثي عني أنا! ألستُ في العالم الآخر؟!

صوت (جديدو) يهدر:

- إذا كان ابن حفيدي الأعز في العالم الآخر حقا، وإذا كنت تضربين هكذا على كيبورد زجاجي يظهر من المجهول وتستعرضين كل شيء على هذه الشاشة التي تجسّدتْ فجأة مثل غمامة في الهواء، فلماذا لا تعرفين قصة أبيه التي طَبَّقَتْ شُهرتُها الآفَاق؟ ألا تذكر الشاشة التي تتصفحينها كيف أعدم أبوه بعد عامين على إعدام خالد، أم ربما يهيمن نظام الدولة البوليسية حتى في الآخرة ويعرض تاريخ البشر وفقا لأهوائه؟ لقد قدّم أبوه طلبا للتنقيب في مواقع (ذي الكفل) الأثرية واعتبر النظام طلبه خيانة عظمى. هلاّ عرضتْ شاشتك الغريبة رحلة أبيه من بابل إلى النجف بحثا في شجرة الأنساب لمعرفة فيما لو كان زواج جدّه من خطيبة ابنه محض صدفة، أم هو انحراف وراثي!.... لقد نبش أبوه تاريخ العائلة يا سيدتي وشجرة أنسابها غصنا غصنا وورقة ورقة داخل تلك الكتب المصفرّة، ولما لم يجد إشارة إلى انحراف وراثي راح ينقّب في تاريخ بابل أملا في العثور على تعليل آثاري لخطايا الآباء. ذلك كان هو السبب وراء دخوله الجامعة لدراسة علم الآثار التي كانت سبباً في زيارته التطبيقية إلى ضريح الولي الهارب من بابل قبل

4000 سنة إلى قرية ذي الكفل حيث التقى سادن الضريح الذي حكى له بدوره سرّا نقله لحازم وطلب منه توثيقه في فيلم يوحي للناظر وكأنّه فيلم من الخيال.

صوت (جديدو) يلفحني كاللهيب، يخنقني، يدفعني أن أحشرج:

- كيف عرفت كل هذا؟

يجيبني (جديدو):

- أنا أقرأ ما هو موصوف في تلك الشاشة يا ابن حفيدي وقريني! ألا ترى؟ ألا ترى ذلك السرّ مطبوعا على شاشة الغمام؟ مدينة مدفونة تحت النخيل جرى عليها الغرين بعد أن استحال كل ما فيها إلى تماثيل وغطى ما لا نهاية له من الأسرار. قصور وبيوت طين. بيوت عنكبوت. سلالم ضاربة في أعماق الأرض. سراديب مغلقة. كتب ومكتبات. تعاويذ وتيجان. أصنام من حجر ومن تمر يابس. خاتم سليمان.

أهتزّ كما ارتعشتُ يوم سمعت الحكاية للمرة الأولى من أبي.

تقتحمني ذكرى أولئك البشر الأحياء المدفونين تحت الأرض من آلاف السنين.

تقتحمني صورهم إذ وجدتهم متحجرين رغم أنّهم كانوا يأكلون ويشربون ويتكاثرون!

190

رجال بصورة أقزامٍ وعماليق وبصورة عقارب ينسجون ثيابا من التراب والطين.

لا قدرة لي على التمييز بين أحداث فيلمي (مياه متصحّرة) والأحداث التي أتذكرها أو يسردها (جديدو).

أراني في أرض ذي الكفل أحفر بالفأس ثقبا في الأرض وأغوص عشرات الأمتار.

أرى فأسي يصطدم بشيء صلب،

أراني أزيح التراب الرطب عن الشيء الصلب.

أراني أشعل عود ثقاب.

أرى الثقاب ينير سقفا قرميديا منقوشا بحروف مسمارية تقول إنّه ضريح الـ..

أراني أرتعد وأوقف الحفر وأخرج مذهولا وأهيل التراب على الحفرة.

يقاطع (جديدو) أفكاري أو يكملها:

- قبل ذلك تقدّم أبوه بطلب إلى رئاسة الجمهورية للتنقيب في ضريح (ذي الكفل).

أثورُ على صوت (جديدو) بلا تفكير:

- كان أبي غبيا! لقد قدّم طلبا لمقابلة الديكتاتور بهدف إقناعه بأهمية التنقيب، ولم يدرك معنى أن يلتقي ديكتاتورا أميّا. لهذا لم يعد منه إلى البيت سوى شريط فيديو ممهور يظهر فيه إلى جانب الديكتاتور شارحا بجلال العلماء قصة ذي الكفل.

يحاكي (جديدو) ظهور والدي في ذلك الشريط:

- قصة ذي الكفل ملتبسة سيادة الرئيس. فقد زعمت أقوام أنّه ابن النبي أيوب وأنّ اسمه بشر، بعثه الله نبياً وأمره بالدعوة للتوحيد. وقيل إنّه تكفل الناس أمام امبراطور فارس وقضى بينهم بالعدل. وكان مقيما في بلاد الشام حين توفي عن عمر يناهز التسعين. بينما يتحدث ابن بابويه أبو العباس محمد بن إبراهيم بن إسحاق الطالقاني، نقلا عن أبو بكر أحمد بن قيس بن عبد الله المفسر، نقلا عن أحمد بن أبي البهلول المروزي، نقلا عن الفضل بن نفسي بن عاد الطّبري، نقلا عن أبو علي الحسن بن شجاح البلخي، نقلا عن سليمان بن الرّبيع، حدثنا رباح بن أحمد، نقلا عن مقاتل بن سليمان، نقلا عن عبد الله بن سعد، نقلا عن عبد الله بن عمر الذي قال: سُئل رسول الله صلّى الله عليه وسلّم: ما كان ذي الكفل؟ فقال: رجل من صحراء حضرموت اسمه عويديا بن ادريم وكان نبيّا من الأنبياء.. كما توجد قصة أخرى حول السيد ذي الكفل عن الإمام علي بن أبي طالب الذي قال إنّ اسمه يهوذا بن

يعقوب بن إسحق بن إبراهيم. وقد قيل إنّ ضريح ذي الكفل، هو (ضريح النبي حزقيال) وتوجد في مرقده ألواح حجرية عليها نقوش عبرية.. ومما يزيد الالتباس هو أنّ من يزور ضريحه يجد منارتين مختلفتين في المعمار. طراز الأولى يعود إلى زمن السلاجقة وارتفاعها 54 متراً. وطراز الثانية يعود إلى الدولة البويهية وارتفاعها 20 متراً من الأعلى و 34 مترا تحت الأرض.. نعم سيادة الرئيس القائد! داخل المنارة سلّم لولبي يصل دهليزا يموت بعد 34 متراً تحت الأرض. دهليز يبتلع نفسه ويختفي!! في باحة الضريح أربعة مراقد (يوشع، يوحنا الدملجي، خون ناقل التوراة وباروخ) كقباب صغرى متجهة صوب محراب هو مقام نبي الله الخضر المرصّع بنقوش إسلامية حمراء اللون. على يسار الضريح طريق يؤدي إلى مكتبة محفورة في جدار وطولها ثلاثة أمتار وعرضها متر ونصف وعمقها سبعة أمتار. في عمقها نصطدم يا سيادة الرئيس بشيء يشبه بابا متخيلاً!! باب لا ندري إلى أين يقود أو هل هو موجود حقا أم لا. ويقال إنّ تحت ضريح ذي الكفل يوجد ثقب يطلّ على مدينة فيها مكتبة هائلة الحجم تضم كل الكتب. وفي بداية شهر حزيران عام 2000 قبل الميلاد قام فريق من السدنة بـ (إعادة افتتاح) مرقد ذي الكفل، وكتبوا عليه اسم (ضريح حزقيال). ووصف هذا الحدث الجلل بأنّه أول ظهور لأول ديانة توحيدية. وفوق ذلك سيادة الرئيس فبالإضافة إلى الأسرار

المدفونة تحت الضريح إنما تشكّل هندسة بنائه مزيجا من تاريخ كنسي وكنيسي تطوّر بعد طرد اليهود من العراق فصار مسجدا أحيط بألواح حجرية منقوش عليها نص سفر حزقيال. هل يرى السيد القائد أهمية مشروع البحث والتنقيب في هذه الثروة الوطنية؟

يصمت (جديدو).

صاحبة المقهى تسأل:

- **لماذا توقفت؟ أكمل!**

عندما تفشل في انتزاع أيّ كلمة -جديدة تدير الشاشة الغمامة حيث شريط الفيديو.

الديكتاتور وأبي يتمشيان!

الديكتاتور يسأل أبي إذا كان يعرف أنّ طلبه هو ذات الطلب الذي تقدمتْ به جهات خارجية أمبريالية.

أزعق بها طالبا التوقف.

صاحبة المقهى لا تأبه بي.

توغل في تقريب الشاشة الغمامة مني.

أشعر وكأني في الفيديو المعروض.

أرى الديكتاتور يترك أبي وحيدا.

أرى رجالا يتقدمون من أبي.

تتشوش الصورة تعقبها أخرى عن مراسيم دفن يلقي فيها أحدهم كلمة نيابة عن الديكتاتور متناولا مؤامرة أودت بحياة والدي الذي (اختطفته عصابة القط الأسود الإمبريالية) ورمتْ جثته في أحد المزابل التي أكلتها الكلاب ولم يتبق منه سوى بضعة عظام.

لن أفشل في الصراخ بحقيقة أنّ ما أجّج غضب الديكتاتور هو اعتراض والدي على قرار كتابة اسم الديكتاتور على أحجار بابل، وهو غضب جعله يقرر إبادة الجزء الأكبر من العائلة، ودقّ إسفين عداوة أبدية في الجزء المتبقي: لقد قلّدني وسام الدولة الأوّل يوم إعدام عمّي وكرّم أبي بلا سبب، وبعد عامين رمى أبي في حوض تيزاب أذابه.

لن أفشل في ذكر حقيقة أنّ طلب والدي للتنقيب في آثار ذي الكفل كان مناسبة لاتهامه بالخيانة العظمى والتآمر مع الصهيونية.

صاحبة المقهى تقرأ أفكاري وتلاحظ أيّ سطوة عنيفة تركها شريط الفيديو عليّ، فتتبدّد شكوكها من أنّي إرهابي قادم للغداء مع الرسول ويختفي ارتيابها من الحصى الثلاث التي ما زلتُ أحمل بعد أن ظنّتْ أنها ابتكار تمويهي لحزام ناسف أريد تفجيره حال ولوجي الجنة.

بابتسامة محايدة تغلق الشاشة الغمامة والكيبورد وتلتف على نفسها

وتلتف فتتصاغر كلما التفتّ حتّى تختفي ويختفي معها مدخل الغابة والغابة

فلا يتبقى في المكان شيءٌ سوى العدم!

إنّني في اللا شيء.

لا ورائي ولا أمامي ولا تحتي ولا فوقي.

لا نفق يبتلعني ولا تجويف يمتصني ولا قصف أمريكي يحيلني أشلاءً

ولا سكاكين ذباحين تقطعني إربا إربا.

لا رحلة عودة أو ذهاب.

إنني في عدم عديم اللون والمكان والطعم والزمان.

لا لون أسود ولا أبيض ولا ما بينهما ولا تنويع عليهما.

لا أرى سوى ذاكرة أشلائي المبعثرة بعد القصف الأمريكي على السوق،

أو بعد تقطيعها في قلعة السؤدد وهي تذوب رويدا رويدا فلا يبقى سوى

وجه العدم: وجه اللا شيء.

- هذا الذي تسميه وجه اللا شيء هو الجنة!

يتناهى إليّ صدى صاحبة المقهى مرحّبا متمنيا لي إقامة خالدة في ذلك

اللا شيء!

أُنجزت يوم 27 ابريل عام 2015

196